An Anthology of
Modern Yiddish Poetry

An
Anthology
of Modern
Yiddish
Poetry

Selected and Translated by
RUTH WHITMAN
Bilingual Edition

Education Department
of the
Workmen's Circle
1979

ACKNOWLEDGMENTS

THE ANTIOCH REVIEW

Jacob Glatstein	*Mozart*
	Like Weary Trees
Aaron Zeitlin	*Text*
	The Empty Apartment
Rachel Korn	*I'm Soaked Through With You*
Abraham Sutskever	*Songs to a Lady Moonwalker*

THE CALL

Rachel Korn	*A New Dress*

THE MASSACHUSETTS REVIEW

Abraham Sutskever	*Poetry*
	Landscape
	The Banks of a River

MIDSTREAM

Abraham Sutskever	*On My Wandering Flute*
	How
Rachel Korn	*My Body*
	Sometimes I Want To Go Up

RADIX

H. Leivick	*Through the Whole Long Night*
M. L. Halpern	*Just Because*
	Memento Mori
Rachel Korn	*A Letter*
	Longing

HOLOCAUST AND REBIRTH: Bergen-Belsen 1945–1965:

Jacob Glatstein	*Memorial Poem*

CONTENTS

INTRODUCTION   ix
TRANSLATOR'S PREFACE   xvii

JACOB GLATSTEIN
    The Poet Lives   3
    I'll Find My Self-Belief   5
    Mozart   9
    Loyal Sins   11
    In a Ghetto   13
    Like Weary Trees   17
    Memorial Poem   21

CHAIM GRADE
    The Miracle   25
    Without Me You Won't Be Able To See Yourself   27

MOYSHE LEYB HALPERN
    Just Because   26
    Go Throw Them Out   31
    Memento Mori   33

RACHEL KORN
    I'm Soaked Through With You   35
    A Letter   37
    Longing   39
    My Body   41
    Sometimes I Want To Go Up   43
    A New Dress   47

MOYSHE KULBAK
    I Just Walk Around, Around, Around   49
    Spring   51
    Summer   53
    Two   55

ZISHA LANDAU
    Parts   57
    I Have a Big Favor To Ask You, Brothers   59
    Tuesday   61
    Of Course I Know   63
    The Little Pig   65

H. LEIVICK
    How Did He Get Here?   67
    Two Times Two Is Four   69
    Through the Whole Long Night   71

ITZIK MANGER
    Alone   73
    Autumn   77
    Abishag Writes a Letter Home   81
    Rachel Goes to the Well for Water   85

ANNA MARGOLIN
    Ancient Murderess Night   89
    Years   91

KADYA MOLODOVSKY
    Night Visitors   93
    In Life's Stable   97

LEYB NAYDUS
    In an Alien Place   99
    I Often Want To Let My Lines Go   101

MELECH RAVITCH
    Twelve Lines About The Burning Bush   103
    A Poem—Good or Bad—a Thing—
        with One Attribute—Flat   105

ABRAHAM SUTSKEVER

    On My Wandering Flute   109

    Song for a Dance   111

    The Banks of a River   113

    Landscape   115

    Songs to a Lady Moonwalker   117

    How   121

    Song of Praise for an Ox   123

    Poetry   125

    Under the Earth   127

AARON ZEITLIN

    A Dream About an Aged Humorist   129

    The Empty Apartment   131

    Text   135

TEXTS USED   137

NOTES ON THE POETS   139

INTRODUCTION

The past sixty years has seen the spectacular rise and development of Yiddish poetry which, until the beginning of the twentieth century, had remained virtually arcane for six hundred years. Its development as an art form between the thirteenth and the nineteenth centuries was very slender, but it was eclectic, various, and above all, persistent. It reached its full flowering in the twentieth century because the horizon of the European Jew, having broken through the cultural as well as the physical ghetto, became one with the rest of the world. Immigration, especially to the United States, brought new literary experience to the Yiddish writer; the loosening of restrictive laws and customs released him to the contemporary world.

Early Yiddish poetry was of two general types: religious, that is, translations of the Bible, reworkings of biblical stories, such as the rhymed translation of Judith, sabbath songs and holiday songs, and guides to the moral life, entertainingly written especially for women; and secular poetry, much of it reinterpretations of European models, such as ballads, topical poems, animal fables, and satirical poetry. Yiddish poets took over and retold medieval stories of chivalry from English, German, and Italian literature, simply removing the Christian symbolism.

By the end of the eighteenth century Yiddish poetry was in a period of transition. The old traditional ways of thinking were beginning to lose their hold, and for the first time poetry began to show an originality and consciousness of artistic form. The Badchan singers—the merrymakers at Jewish weddings who improvised oral lyrics—produced Eliakum Zunser, who wrote his lyrics, conscious of them as literature, lyrics which now survive as traditional folksongs.

By the end of the nineteenth century the modernization of Jewish life made possible the total Europeanization of its writing. And once Yiddish poetry began to blossom, it did so with the suddenness and illusory expository quality of time-lapse photography. Yet this very rapidity of development sometimes had an adverse effect on individual movements. No sooner did one school or group rise than another sprang up as a reaction to the first. The full development which might have taken place in a special group of poets was thus often abruptly halted.

Yiddish poetry in the last decade of the nineteenth century and the beginning of the twentieth is traditionally associated with Itzik Leyb Peretz, Simon Frug, and especially with Morris Rosenfeld, the poet of the sweatshop. Rosenfeld came to the United States at the end of the last century and began his career by contributing protest poetry to the American Yiddish press, which was then being newly established in New York. Although he was primarily a folk poet, he was a pioneer lyricist who treated Yiddish not as a bizarre phenomenon or a haphazard jargon, but as a genuine medium for poetic communication.

More important, both as poet and innovator, was Rosenfeld's contemporary, Yehoash (Solomon Bloomgarten). Yehoash too came to the United States at the end of the last century, and carried Yiddish poetry a step further. For him poetry was no longer the handmaiden of politics, the voice of social protest, but highly personal, full of meditations on love, nature, and metaphysics. His technical repertory was more complex than Rosenfeld's, but neither of them had come fully into the twentieth-century experience; both were still largely characterized by the sentimentality of the Victorian legacy.

Yehoash is especially famous for his translation of the Old Testament into Yiddish and his work in the field of lexicography. He was the immediate predecessor of the first important group of Yiddish poets in America, Di Yunge (The Young Ones). It is with the members of this group that modern Yiddish poetry and the selections in this anthology begin.

Di Yunge was the American version of a poetic movement which appeared in Yiddish literature simultaneously in Russia, Poland, and the United States. Yiddish writers in all three countries were influenced by Heinrich Heine, by impressionism in Europe, especially Germany, and by the Russian symbolists.

This impressionism had a distinct tinge of romanticism, in which the emphasis was upon individuality, subjectivity, and a free and indirect method of expression.

In Russia, Leyb Naydus was one of the Yiddish exponents of impressionism. Influenced greatly by European poetry, which he translated, he especially wanted to free himself from the rigidity of traditionalism.

In America, members of Di Yunge—H. Leivick, Zisha Landau, Moyshe Leyb Halpern, and others—were most active in the years 1907 to 1925. Young in years, wildly energetic, fearlessly imaginative, these poets believed politics, propaganda, sentimentality, moralizing, and chauvinism had no place in their poetry. Like the imagists, they were intensely interested in form. They wrote with equal intensity, and perhaps perversity, about the most trivial as well as the most exalted subjects.

All these poets were immigrants and reflected the chaos and complexity of their new life. Zisha Landau is the outstanding exponent of art for art's sake; his poetry was strongly idiosyncratic and sensuous. There were those to whom subject matter was of greater importance, like H. Leivick and M. L. Halpern. Of these, M. L. Halpern was undoubtedly the most original of the group, both as poet and person. He is brash, daring, at one moment filled with enthusiasm, at the next reflecting bitterly and grotesquely on death. Even his diction oscillates between beautifully refined lines and jarring, almost brutal passages.

For all their apparent coarseness, superficiality and extremism, Di Yunge did Yiddish poetry a great service. Their experimentation in technique, their spontaneity, even their Bohemian lives served to fulfil a need in Yiddish literature. But Di Yunge were bound to burn themselves out. Their breakneck speed in both life and poetry made them bypass the slower process of maturity. They had to give way to the inevitable reaction of a new group, the Insichists (Introspectivists).

The First World War and the Russian Revolution had changed the outlook of Yiddish literature. This generation of writers had been shocked out of their complacency and needed to establish their identity in new terms. The Insichists, led by A. Glanz-Leyeles, N. Minkoff, and Jacob Glatstein, profiting from the experience of Di Yunge, were more serious, more intellectual, and more eager to include a view of the outer world. It must be noted, however, that as a school neither Di Yunge nor the Insichists adhered rigidly to any strict set of poetic principles or world view.

What guided them was the general principle of inner freedom: the Insichists wanted to express in their poetry the refraction of the outer world as seen through the prism of the individual self (*sich*) or ego. They used new methods and forms, especially free verse. In their magazine and anthology, both called *In Sich*, they published, among many others, the poetry of Anna Margolin, a fiery bohemian, who wrote a passionate, disciplined poetry.

Both of these major American movements in Yiddish poetry before the Second World War produced poets of world stature. Although H. Leivick and Jacob Glatstein, associated with Di Yunge and with the Insichists respectively, are exponents of these schools, they are primarily significant as great poets.

Leivick, a political prisoner in Siberia, escaped to the United States in 1913 and was immediately claimed by Di Yunge as one of their own. He was a most prolific writer, following the theme of the Messiah through verse play after verse play. The Nazi extermination of the Jews increased the personal guilt he had always felt about his suffering fellowmen in other countries, and this too became a major theme in both his plays and lyric poetry. A master of short forms, he is one of the few poets anywhere who combines in one person both lyric and dramatic genius.

Glatstein's poetic standpoint and resources are perhaps the widest of any poet represented in this anthology. He is also in many ways the most difficult poet. He is a supremely original manipulator of the Yiddish language. He makes up words, combines words, deals in stunning imagery and in bold and sometimes angry conceptions. A sensitive and articulate critic and novelist, he resembles T. S. Eliot in his intensity, difficulty, and lyricism. Also, although he began as a member of the Insichists, he has, since the Second World War, been moved to re-examine his role as individual in the world. In consequence, he has combined a cauterizing classicism and traditionalism with his original audacious approach.

In Poland, a major center of Yiddish culture and literature before the Second World War, a parallel post-impressionist movement took place. Influenced by German expressionism and Russian cubo-futurism, a group was formed who called themselves Di Khaliastre (The Gang). Doting on the grotesque and decadent, these poets also stressed individuality and audacity. They included Melech Ravitch, who, now in the New World, still carries on an incessant familiar dialogue with God, haranguing and ranting in swashbuckling lines and language. Other writers who began their careers in Poland were Aaron Zeitlin, who, in addition to using post-impressionist techniques and ideas, was deeply imbued with classical tradition; and Moyshe Kulbak, who wrote with a poetic vigor and dynamism, a bravado not unlike that of early Mayakovsky, and later identified himself with Soviet Yiddish literature until he disappeared mysteriously in 1937.

Despite the anti-Semitism of the Polish government and the desperate conditions after the First World War, three of these poets—Aaron Zeitlin, Melech Ravitch, and Kadya Molodovsky, a novelist and short story writer as well as a children's poet— survived to come to the United States and Canada, and have continued to write there.

By the end of the 1920's, both in Europe and the United States, Yiddish poetry no longer felt threatened, it no longer had to argue and polemicize. It was. Heine, German impressionism, Rilke, Baudelaire, the French and Russian symbolists, Whitman, the American imagists, free forms, expressionism, surrealism, the use of conversational vocabulary and rhythms—all these were grist to its mill.

Although by the 1930's the literary schools had ceased to play as dominant a role as they had earlier, there were various groups and subgroups on both sides of the Atlantic, especially on the regional level. Just before the Second World War, one such group, the Young Vilna poets, produced two outstanding men, Chaim

Grade, a short story writer and novelist who now lives in New York, and Abraham Sutskever.

Sutskever is extremely gifted, as is evident from his experimental pantheistic beginnings to his latest poems in *Di Goldene Keyt* (The Golden Chain), a Yiddish journal which he publishes and edits in Israel. He is not only a master manipulator of language, somewhat in the style of Glatstein, but has a pervasive sensual lyricism. His vision and imagery is often Chagall-like in its playful eroticism and use of surrealist techniques. His thematic geography runs from the steppes of Siberia through the Vilna Ghetto to the woods of Lithuania to Israel and the Sinai desert, and even includes the exotica of Africa.

The expressionists brought Yiddish poetry to a point of stabilization. The wild rebellion of the early years became tempered with a new classicism, an independent return to traditionalism. The Hitler era and the Second World War greatly strengthened this tendency. Jewish writers felt impelled to re-examine their heritage, to reaffirm their lines of continuity with the past, and to rediscover and honor their literary traditions.

In Poland one of the most outstanding of these neoclassical poets was Rachel Korn (now in Canada), who writes with a deceptive simplicity, a pure lyricism.

In Romania the direction toward traditionalism followed a similar course. Mingling impressionistic techniques with folk and classical forms, Itzik Manger not only experimented with Old Yiddish and wrote eccentric anti-poetry, but also was capable of writing short ballads on themes from the Old Testament with tenderness, humor, and a sense of the outlandish.

Russia has always been an important center for Yiddish poetry, both before the purges (Peretz Markish, Leyb Kvitko, and Itzik Fefer were among the important poets liquidated by Stalin) and after. In 1965 an anthology was published containing the work of fifty Russian Yiddish poets.

A history of these many Yiddish poets, both living and dead, must still be written. This account merely provides a framework for the selections represented in this anthology and gives only a hint of the rich poetry which has scarcely been glimpsed by English and American critics and readers.

Certainly the moment of ripening of Yiddish poetry possesses a terrible historical irony. For just when Yiddish poetry had entered the mainstream of modern European and American literature, overcoming the handicaps of history through its sheer will and dynamism, the Nazi genocide and Soviet purges destroyed many of the writers and readers of Yiddish. But there are poets and novelists writing in Yiddish today in the United States, in Israel, Canada, South America, Mexico, France and the USSR. Yiddish poetry in the twentieth century may well be the most enduring artistic expression of its people's creative vitality.

ROBERT SZULKIN

RUTH WHITMAN

PREFACE TO THE SECOND EDITION

Since the publication of this anthology in 1966, there has been a great increase of interest in Yiddish studies. There are now thousands of students of all ages studying Yiddish on campuses and in schools, in universities and communities across the United States.

The Workmen's Circle, which has long been a link between the Yiddish language and the community, has played an important role in this revival. The Jacob T. Zukerman Fund of the Workmen's Circle was used to start Yiddish classes at a number of colleges and universities. Classes had already been established at Harvard University, the Massachusetts Institute of Technology, Brandeis University, Boston University, Columbia University, New York University, Queens College and in communities in Chicago, Detroit, Pittsburgh, Arizona and San Francisco.

Yiddish is now being taught in other parts of the world, places as remote as Japan, Australia and Canada and at Hebrew University and the University of Beersheba in Israel.

There has been a continuing demand for this book, the only bilingual anthology of modern Yiddish poetry in print. I am happy that the Workmen's Circle Education Department, under the direction of Joseph Mlotek, is making it available again. The biographical notes on the poets have been brought up to date.

RUTH WHITMAN

May 1979

A NOTE TO THE SECOND EDITION

by Isaac Bashevis Singer

I still think that Ruth Whitman's *Anthology of Modern Yiddish Poetry* is a wonderful textbook for those who want to study the Yiddish language and to enjoy what is good in Yiddish poetry.

She has managed to make the translations highly faithful to the Yiddish and at the same time beautiful in English. The choice of poets is excellent.

Of course no anthology can exhaust what Yiddish poets have been creating during hundreds of years. Some new talents have appeared and I expect that a second part of this anthology might come out in the future. But what is given in the first part will surely whet the appetite of all those who love poetry and are interested in Yiddish creativity.

I recommend this book to all schools and all students who are interested in Yiddish poetry and Yiddish literature.

ISAAC BASHEVIS SINGER

TRANSLATOR'S PREFACE

Yiddish is a relaxed language, extravagantly hospitable to Hebrew, Polish, Russian, German, and French, lush with a vocabulary full of love terms, diminutives, compounds, and neologisms. To translate this language faithfully into cool rational Anglo-Saxon is extremely challenging. Also, since Yiddish inflections lend themselves far more readily to rhyme than English word endings, I have taken many liberties in the poems that rhyme, sometimes using half-rhymes, internal rhymes, and even alliteration as a substitute, and sometimes omitting the rhyme altogether. I have tried almost always to keep close to the meter of the original, or to give a reasonable approximation of it.

There is little danger of giving away trade secrets about the technique of translation. After I learn the original text as completely as I can—metrically, verbally, and emotionally—there comes a time when I must take the leap into writing an English poem in its own right. But this means that if I abandon a diminutive or transpose a word order; if I use an English idiom which the original only implies, I am doing it conscientiously.

Sometimes the real poem comes full-blown and perfect in the first draft, close to the original, yet with a soul of its own. But this is a sheer gift, as all excellent poetry is a given miracle.

I owe a word of explanation about the selections. All anthologies are necessarily subjective to a degree. I usually found it impossible to translate a poem successfully unless I liked it very much. Poems which I tried to translate out of a sense of duty toward historical completeness or adequate representation usually failed. Some poets, like A. Glanz-Leyeles, who are very important to the history of modern Yiddish poetry, I simply found incompatible with my own poetic capabilities. The poems which are included in this anthology were chosen primarily because they especially fitted my hand and my taste as a poet.

But I believe, with Franz Rosenzweig, "one's time is better spent in translating ten lines than writing the longest disquisition 'about.' "

I owe debts of gratitude to many people: to the MacDowell Association for two periods of residency at the MacDowell Colony during which I worked on this book; to Isaac Bashevis Singer, who gave me the original idea for the book and helped me cut my teeth on his own Yiddish stories; to Michael Astour, Rachel Erlich, and above all, Robert Szulkin for their invaluable linguistic and critical assistance. All final selections and any mistakes are mine alone.

R. W.

An Anthology of
Modern Yiddish Poetry

יעקב גלאַטשטיין

דער פּאָעט לעבט

דער פּאָעט לעבט. די יידישע לויה־פייגל שנאַפּן.
דיין געזאַנג איז אַ שמירה קעגן זייער געקלאַג.
די לויה־פייגל ווען דיך ניט כאַפּן,
היינט אין דיין לעבעדיקן פאַרטאָג.

דער שפּיגל זוניקט דיין געשטאַלט.
ער באַהאַלט דיינע יאָרן מיט אַ פאַרגלעט.
פאַרשניפּסט דעם האַלז מיט די שענסטע קאָלירן.
האָב נישט קיין מורא. די יידישע לויה־פייגל וועלן דיך ניט באַרירן.
זיי וועלן חלילה ניט זאָגן קיין גוט־מאָרגן אַ לעבעדיקן פּאָעט.

זיי שאַרפן שוין די שנאָבלען אויף אַ געקלאָג.
זיי פּייפן זיך שוין איין דעם נעקראָלאָג.
ניט צוליב דיר, נאָר כדי מיט דיין טויט צו פאַרקריצן,
זייער אָנלויף פון אַלע זומפּיקע ווינקלען,
פון אַלע אונזערע פאַרשימלטע שטינקלען.

זיי רואיק, לעבעדיקער פּאָעט.
קאָנסט וויינען, לאַכן, זיך רייסן אין איינזאַמקייט די האָר.
די לויה־פייגל וועלן שנאַפּן,
אָבער זיי וועלן דיר, חלילה, נישט ווינטשן קיין לעבעדיק יאָר.

JACOB GLATSTEIN

THE POET LIVES

The poet lives. The Jewish coffin-birds snap.
Your song is a charm against their teasing.
The coffin-birds won't grab you
on this your living morning.

The mirror suns your image.
Your years disappear with a wipe.
Necktie your neck with the prettiest colors.
Don't be afraid. The Jewish coffin-birds won't collar you.
They won't even give the time of day to a living poet.

Now they're honing their beaks to tease you,
they're whistling up your obituary,
not for your sake, but hoping your death will engrave
their arrival from all swampy corners,
from all our moldy stinks.

Be calm, living poet.
Cry, laugh, in solitude tear your hair.
The coffin-birds will peck at you
but they'll never, God forbid, wish you a living year.

כ׳וועל זיך איינגלויבערן

כ׳וועל זיך איינגלויבערן אין דעם שטויבעלע וואונדער,
וואָס פֿלעקט דעם אויסזיכט אויף צוריק,
אַזוי ווייט ווי דער טונקעלער בליק
קען צוריקחלומען, צוריקזען.
אין דעם אויפֿגעטויכטן,
אויפֿגעלויכטן טונקל,
העלט אויף אַ האַלבער
אָפּגעראַטעוועטער שטערן,
וואָס האָט נישט באַוויזן חרוב צו ווערן.
אַ שטיק אויפֿגעריסענער פּלאַנעט
וואָס האָט אַמאָל געהאַט לעבן,
גרינע שפּע, פֿאַשעדיקע זעט.
עדות: מיינע טרערן־פֿאַרלאָפֿענע אויגן,
די ווייטע פֿלאָרא, די בלוט־באַטרויבטע,
אונטער אַ הימל פֿון אייביקן אונטערגאַנג;
די בלעטער, וואָס וויגן זיך ווי גלעקער,
באַטויבטע, אָן קלאַנג,
אויף פֿון קיינעם־נישט־געזעענעביימער
אין אַ ליידיקער וועלט.

כ׳וועל זיך איינעקשנען,
זיך איינפֿלאַנצן
אין אַן אייגענער, אינטימער נאַכט,
וואָס איך האָב אינגאַנצן אויסגעטראַכט
און ארומגעוואונדערט פֿון אַלע זייטן.
כ׳וועל געפֿינען אַן אָרט אין רוים,
ווי אַ פֿליג די גרוים,
און מיט גוואַלט אַוועקשטעלן דאָרט,
אויף אַלע צייטן
אַ וויג, אַ קינד,
אַריינזינגען אין דעם אַ קול

I'LL FIND MY SELF-BELIEF

I'll find my self-belief in a dustpuff of wonder
flecking my view back
as far as dim sight
can imagine, can see.
In the bobbing
kindled dark
there rises up
a salvaged half-star
that managed not to be killed.
A chunk of exploded planet
that once had life,
green abundance, grazing luxury.
Witnesses: my tearfilled eyes,
the distant flora, grapestained with blood,
under a sky eternally sinking;
leaves rocking like bells
deafened, soundless,
on unlooked-at trees
in an empty world.

I'll be stubborn,
plant myself
in my own intimate night
which I've entirely invented
and admired from all sides.
I'll find my place in space
as big as a fly,
and compel to stand there
for all time
a cradle, a child,
into whom I'll sing the voice

פון א דרימלענדיקן טאַטן,
מיט אַ פּנים אין קול,
מיט ליבשאַפט אין קול,
מיט פאַרהויכטע אויגן,
וואָס שווימען אין קינדס שלעפעריקע אויגן
ווי וואַרעמע לבנות.
און אויפבויען וועל איך אַרום דער וויג אַ יידישע שטאָט
מיט אַ שול, מיט אַ לאַ ינומדיקן גאָט,
וואָס וואַכט איבער די אָרעמע קראָמען,
איבער יידישן פּחד,
איבער דעם בית עולם,
וואָס איז לעבעדיק אַ גאַנצע נאַכט
מיט פאַרדאגהטע מתים.

כ׳וועל זיך איינקלאַמערן מיט די לעצטע טעג,
און אויף להכעיס זיי ציילן אין דיר, פאַרגליווערטער עבר,
וואָס האָסט מיך אויסגעלאַכט,
וואָס האָסט אויסגעטראַכט
מיין לעבעדיקע, ריידעוודיקע
יידישע וועלט.
זי איינגעשטיליקט,
און אין מיידאַנעק-וועלדל
מיט עטליכע שאָס פאַרטיליקט.

of a father drowsing,
with a face in the voice,
with love in the voice,
with hazy eyes
that swim in the child's sleepy eyes
like warm moons.
And I'll build around this cradle a Jewish city
with a *shul*, with a God who never sleeps,
who watches over the poor shops,
over Jewish fear,
over the cemetery
that's lively all night
with worried corpses.

And I'll buckle myself up with my last days
and, for spite, count them in you, frozen past
who mocked me,
who invented my living, garrulous
Jewish world.
You silenced it
and in Maidanek woods
finished it off with a few shots.

מאָצאַרט

ס'האָט זיך מיר געחלומט,
גוים האָבן מאָצאַרטן געקרייציקט
און אים באַגראָבן אין אַן אייזל־קבר.
נאָר יידן האָבן אים געמאַכט פאַר גאָטס מענטש
און זיין געדעכעניש געבענטשט.

זיין אַפּאָסטאָל בין איך איבער דער וועלט געלאָפן
און באַקערט יעדער איינעם וואָס כ'האָב געטראָפן.
אומעטום וואו כ'האָב געכאַפּט אַ קריסט,
האָב איך אים געשמדט אויף אַ מאָצאַרטיסט.

ווי וואונדערלעך איז פון געטלעכן מענטש
זיין מוזיקאַלישער טעסטאַמענט,
ווי דורכגענאָגלט מיט געזאַנג
זיינען זיינע ליכטיקע הענט.
אין זיין גרעסטער נויט,
האָבן ביים געקרייציקטן זינגער
געלאַכט אַלע פינגער.
אין זיין וויינענדיקסטן טרויער,
האָט ער נאָך מער ווי זיך אַליין
ליב געהאַט דעם שכנס אויער.

ווי אָרעם און ווי קאַרג,
אַנטקעגן מאָצאַרטס פאַרבלייב,
איז די דרשה אויפן באַרג.

MOZART

I dreamed that
the gentiles crucified Mozart
and buried him in a pauper's grave.
But the Jews made him a man of God
and blessed his memory.

I, his apostle, ran all over the world,
converting everyone I met,
and wherever I caught a Christian
I made him a Mozartian.

How wonderful is the musical testament
of this divine man!
How nailed through with song
his shining hands!
In his greatest need
all the fingers of this crucified
singer were laughing.
And in his most crying grief
he loved his neighbor's ear
more than himself.

How poor and stingy—
compared with Mozart's legacy—
is the Sermon on the Mount.

געטרייע זינד

מיינע געטרייע זינד,
איך האָב אייך קיינמאָל נישט אמת געזינדיקט.
און אייך קיינמאָל נישט געטאָן,
ווי מען טוט מעשים טובים.
איך האָב אייך תמיד אָפּגעפּרעפּלט ווי א חוב,
איר האָט מיך קיינמאָל נישט דורכגעדרונגען,
דורכגערייצט ביזן ביין,
ווי מצוות וואָס זייער זין
פֿלאַטערט אין געדעכעניש
ווי א גוטער, וואַניקער פּסוק.

געבענטשט זאָלן זיין די ליבע אויגן,
וואָס האָבן מיר פֿאַרמצווהט
שטיקער רוי לעבן, שטיקער גראָז,
וואָס אויף זיי רוט איצטער מיין קאָפּ
און חלומט שאַרפֿע חלומות.

באַשערט ביסטו מיר געווען.
געבענטשט ביסטו מיר געווען.

LOYAL SINS

My loyal sins,
I've never really committed you
and never even done you
as one does good deeds.
I've mumbled you off dutifully,
you never even penetrated me,
teased me to the bone
like good deeds that
flap in the memory
like a fine apt proverb.

Blessings on your dear eyes
that have good-deeded me
pieces of raw life, pieces of grass
where I now rest my head
and dream sharp dreams.

You're my fate.
My blessing.

אין אַ געטאָ

אין אַ געטאָ פֿון טעג און נעכט
ליגט אונדזער אָפּגעראַטעוועט לעבן,
אַלץ וואָס טרעפֿט אונדז,
באַשערט און געגעבן,
איז ייִדיש דורך און דורך.
מיר האַנדלען־דורך די טעג
מיט לייַען און באָרגן
און דרייען אַרייַן
די בייַנאַכטיקע, דערשראָקענע לאָמפּן
פֿון אונדזערע באַזונדערע זאָרגן.
פֿאַרפֿאַלן, ייִדישער פּאָעט,
נישט דיר איז באַשערט צו ווערן
אַ פֿעסטונג פֿון ציטאַטן.
דעם תּנ"ך, וואָס זיי האָבן דיר צוריקגעוואָרפֿן
אַריבער דעם פּאַרקן,
האָב איך שוין לאַנג אויפֿגעהויבן אַ געשמדטן.
איצט ביסטו שוין ווידער אַליין.

אַליין.

פּאָעט, נעם די שטילסטע ייִדישע רייד,
פֿאַרגלייב זיי, פֿאַרהייליק אויף דאָס נייַ.
אַלע דייַנע מצוות הויערן בייַ דייַנע פֿיס געטרייַ
ווי צוגעטרויטע קעצלעך;
קוקן דיר אין די אויגן,
זאָלסט זיי גלעטן און טאָן.
ווייסט גאָר ניט, ווי ס'שטייט אַלץ אין קאָן.

זאָלסט זיי טאָן.

IN A GHETTO

In a days-and-nights ghetto
our rescued life is lying,
everything that happens,
fated and accomplished,
is Jewish through and through.
We haggle away our days,
borrowing and lending,
then we turn on
the frightened nighttime lamps
of our lone burdens.
Too bad, Yiddish poet,
you're not fated to become
a fortress of quotations.
The Old Testament that they threw back at you
over the fence
I picked up long ago, already converted.
Now you're alone again.

Alone.

Poet, take the faintest Yiddish speech,
fill it with faith, make it holy again.
All your virtuous deeds huddle at your feet
like trusting kittens;
they look in your eyes
so you'll stroke them and fulfill them.
You don't realize everything's at stake.

So you'll fulfill them.

זײַ אָפּגעהיט. די פֿאַרוויסטונג רופֿט ווידער.
אַ ווילדער אַקער צעמורשט אַ גרויסע זעט
און געפֿינט דאָס האַרץ פֿון אַ סקעלעט.
און טאָמער זאָלסטו דיר אײַנרעדן,
אַז אַ סקעלעט איז אָן אַ האַרץ,
זאָלסטו וויסן, קראַנק ייִנגל,
דאָס גאַנצע צעגליטע,
צעצונדענע לעבן
אויף יענער זײַט פּאַרקן
קאָן דיך נישט שטאַרקן, דערהייבן,
ווײַל ס'איז סקעלעטן־האַרץ
מיט דער גאַנצער פֿרייד,
רחמנות און גלאָקן פֿון גלויבן.

פּאָעט, וואָס פֿון דער נאַכט?
אונדזער באַפֿרײַונג איז קליין,
אומבאַוואַכט, אומבאַשיצט.
ווער דער שומר, באַוואַך,
פֿאַרוואָר —
דאָס בטחונדיקע טיר־און־טויער־געזאַנג
פֿון אַן איבעראַיאָר,
וואָס איז אויף תּמיד
אין דײַנע גליִביקע ביינער אײַנגעקריצט.

Be on guard. The wasteland calls again.
A wild plow grinds a great surfeit to dust
and finds a skeleton's heart.
And if you can talk yourself into believing
that a skeleton has no heart,
then you must know, sick boy,
that the whole glowing
incandescent life
on the other side of the fence
can't strengthen you, can't exalt you
because it's a skeleton-heart
with all its joy,
pity and chimes of faith.

Poet, what of the night?
Our liberation is tiny,
unguarded, unprotected.
Become the watchman; guard,
preserve—
this believing-hoping happily-ever-after myth
of a next year,
which is forever,
is bitten into your believing bones.

ווי מידע ביימער

די נאַקעטע חוה האָט מיט מיר געטיילט
דעם לעצטן ביס פֿון עפּל.
אַ פֿאַרשעמטער האָט גאָט זיך פֿאַרשטעלט
פֿאַר אַן עלעקטריש קנעפּל.
איך האָב עס געגעבן אַ באַריר,
ס'איז געוואָרן ליכטיק
צווישן מיר און איר.

געבענטשט זאָלסטו זײַן,
האָב איך איר געזאָגט.
כ'האָב פֿאַרחלומט אין זיך אַ מידער
און אײנציקע רגע,
מיט אַזוי פֿיל ערשטיקן טונקל
אין מײַנע גלידער,
פֿון אוצר פֿון יענע געציילטע טעג,
וואָס האָבן זיך ביסלעכווײַז גענומען זאַמלען
מיט יעדער טריט אויף אונדזער וועג
אין שטיקער צײַט;
פֿון יענע נאָגנדיקע שטאַמלען,
וואָס זענען געוואָרן באַטײַט.
דערמאָנסט זיך?

דערמאָנסט זיך,
ווי מיר האָבן זיך געפּעדערט
און געקומען יונגערהייט,
אָבער גאָט האָט שוין פֿאַר אונדז
אַלץ געהאַט צוגעגרייט.
ווי פֿרי מיר זענען געקומען,
איז ער געקומען אַ ביסל פֿריִער.
מיר האָבן תּמיד געפֿרעגט:
ווער איז געווען ערשט, ער צי מיר?

LIKE WEARY TREES

Naked Eve shared the last bite
of the apple with me.
God, bashful, disguised himself
as an electric button.
I touched it
and there was light
between her and me.

Blessings on you,
I said to her.
Wearily, with my limbs
full of first darkness,
I dreamed of a
single moment
out of the treasure of those numbered days
that, with every step of the way,
slowly gathered
into pieces of time; dreamed
of those crude stammerings
that became eloquence.
Do you remember?

Do you remember
how we rose early
and came, in our newness,
but God had already prepared
everything for us?
No matter how early we came,
he came a little earlier.
We always asked:
Who was first, he or we?

מיר האָבן שוין געהאַט
אַ גאַנצן וואַלד מיט זינגענדיקע פֿייגל,
שטאַרקע חיות און געטרײַע ליכט.
און אַלע מאָל איז ער צווישן אונדז
אויסגעוואַקסן אומגעריכט.

דערמאָנסט זיך?
מיר זענען געזעסן אויף דער ערד,
געגעסן די ערשטע פּרוכט פֿון שוויס.
געפּלאַפּלט. אַ פֿאַרדרימלטער
האָט ער זיך צוגעהערט.
ס'איז געווען קוים, אָקערשט ערשט,
ס'איז זיך נאָך גאָרניט פֿאַרלאָפֿן.
ווי מידע ביימער זענען מיר
איינער אין אַנדערן
שאָטנדיק אַרײַנגעשלאָפֿן.

We already had
a whole forest of singing birds,
strong beasts, faithful light.
And all the time he kept turning up
unexpectedly between us.

Do you remember?
We sat on the ground,
ate the first fruit of our sweat.
Prattled. Drowsily
he listened.
It was just barely first,
nothing had yet happened.
Like weary trees,
interlaced,
shadowy we fell asleep.

פרעמדע אויגן זעען נישט,
ווי אין מיין קליינעם חדר עפן איך א טיר,
און צווישן קבֿרים הייבט זיך אָן מיין נאכטיקער שפּאציר.
(וויפל ערד, מ'שטיינס געזאָגט, דאַרפן רויכן?)
פאַראַן דאָרטן טאָלן און הויכן
און באהאלטענע, פאַרדרייטע שטעגן,
וואָס קלעקן אויף א גאנצן נאכטיקן גאַנג.
אין דער פינצטער לויכטן מיר אנטקעגן
פּה־נטמנס,
מיט א יעמערלעך געזאַנג.
ס'בליען קברים פון דער גאַנצער
פאַרטיליקטער יידישער וועלט,
אין די דלות אמות פון מיין געצעלט,
און איך בעט:
זייט מיר א טאטע, א מאמע,
א שוועסטער, א ברודער,
קינדער אייגענע, לייבלעכע קרובֿים,
ווערט וואָר ווי צער,
פון אייגן בלוט און פלייש,
זייט צו מיר געשטאָרבן,
לאָזט מיך משיג זיין און אָנען
דעם חורבן פון מיליאָנען.

פאַרטאָג פאַרמאַך איך די טיר,
צום בית־הקבֿרות פון מיין פאָלק.
איך זעץ ביים טיש און פאַרדרימל זיך
מיטן ברומען פון א ניגון.
דער שונא האָט אויף זיי נישט געהאַט קיין שליטה.
טאטעס, מאמעס, קינדער פון די וויגן,
האָבן ארומגערינגלט דעם טויט און אים איינגענומען,

MEMORIAL POEM

Strangers' eyes don't see
how in my small room I open a door
and begin my nightly stroll among the graves.
(How much earth—if you can call it earth—
     does it take to bury smoke?)
There are valleys and hills
and hidden twisted paths,
enough to last a whole night's journey.
In the dark I see shining towards me
faces of epitaphs
wailing their song.
Graves of the whole
vanished Jewish world
blossom in my one-man tent.
And I pray:
Be a father, a mother to me,
a sister, a brother,
my own children, body-kin,
real as pain,
from my own blood and skin,
be my own dead,
let me grasp and take in
these destroyed millions.

At dawn I shut the door
to my people's house of death.
I sit at the table and doze off,
humming a tune.
The enemy had no dominion over them.
Fathers, mothers, children from their cradles
ringed around death and overcame him.

אַלע קליינע קינדער זיינען פאַרוואונדערט
געלאָפן דעם טויט־שרעק אַקעגן,
אָן געוויינען, ווי פאַרווינגטע יידישע מעשהלעך קליינע.
און באַלד האָבן זיי אויפגעפלאַקערט אין פלעמלעך,
ווי קליינע אַדוישעמלעך.

ווער האָט נאָך, ווי איך,
אַזאַ אייגענעם, ביינאַכטיקן,
טויטן גאָרטן?
וועמען איז נאָך דאָרטן אַזוי באַשערט ווי מיר?
אויף וועמען וואַרט אַזוי פיל טויטע ערד ווי אויף מיר?
ווען איך וועל שטאַרבן,
ווער וועט אַרבן מיין קליינעם בית־הקבֿרות,
און דאָס ליכטיקע געשאַנק,
פון אַ נר תּמיד'יק יאָרצייט ליכט,
אין אייביקן געצאַנק?

All the children, astonished,
ran to meet the fear of death
without tears, like little Jewish bedtime stories.
And soon they flickered into flames
like small namesakes of God.

Who else, like me, has
his own nighttime
dead garden?
Who is destined for this, as I am?
Who has so much dead earth waiting for him, as for me?
And when I die
who will inherit my small house of death
and that shining gift,
    an eternal deathday light
forever flickering?

חיים גראַדע

דער נס

ווייל אַלץ וואָס איך בוי איז געבויט אויפן נס
וואָס איך בין געבליבן, באַפּאַלן מיך שרעקן,
ווען דו גייסט אַוועק אויף אַ שעה אין מעת־לעת,
די פּוסטקייט זאָל פּלוצעם פאַר מיר ניט אַנטפּלעקן,
אַז דו ביסט אין מיינע דמיונות בלויז דאָ;
ווייל אַלץ וואָס איך בוי איז געבויט אויף אַ וואונדער,
און גייסטו אַוועק אויף אַ שעה, ווערט די שעה
אַ לאַנג־אויסגעצויגענער שטומער יאָרהונדערט.
איך זע, אַז פון נעפּל און רויך איז מיין הויז,
דאָס וואַסער איז ווידער אַרויס פון די ברעגעס,
און דו ביסט אַ חלום, אַן אויסדאַכטונג בלויז,
און אַלץ וועט פאַרשווינדן אין איינציקע רגעס.

אַמאָל גיי איך איבער אַ גאַס און איך פרעג:
בין איך ניט אַ גרוב אַ באַדעקטע אַריבער?
ווייל זינט איך האָב וואונדער געזען אויף מיין וועג,
איז זע איך אַ וועלט פון פאַרהוילענע גריבער.
אַמאָל בלייב איך שטיין ביי מיין הויז און פאַרגעס
אַז דאָס איז מיין הויז, און מיין האַרץ טוט אַ וואָיע;
ווייל אַלץ וואָס איך בוי איז געבויט אויף אַ נס,
איז ווערט עס אין אויגנבליק תוהו־ובוהו.
דער נס מאַכט מיך קראַנק, גרוי־געעלטערט און מיד,
און בלויז אין געדעכעניש בין איך נאָך יינגער?
איז לעב איך אַזוי ווי דער קריגס־אינוואַליד
מיט שפּירונגען פון אָפּגעשאָסענע פינגער.

CHAIM GRADE

THE MIRACLE

Because everything I build is built on the miracle
that I survive, panic storms me.
When you go away for an hour out of twenty-four,
don't let the emptiness betray too suddenly
that you're only here in my imagination;
because everything I build is built on a marvel,
and when you go away for an hour, that hour becomes
a long drawnout struckdumb century.
I see that my house is made of fog and smoke,
that the water again has overflowed its banks,
and you're only a dream, an invention of mine
that will fade away in separate moments.

Sometimes I cross a street and I ask:
Did I just walk over a covered grave?
For since I've seen marvels on my way,
I see a world of hidden graves.
Sometimes I stand before my house, forgetting
that this is my house, and my heart howls out;
because everything I build is built on a miracle,
and may become topsy-turvy in the flick of an eyelash.
The miracle makes me sick, old-gray and tired,
and only in my memory am I any younger.
Thus I live like a war invalid
with sensations of shot-off fingers.

אַז מיר ווערסטו ניט זען דאָס אייגענע געשטאַלט

אַז מיר ווערסטו ניט זען דאָס אייגענע געשטאַלט,
ווי איינער זעט ניט אין דער פינצטער אין זיין צימער.
אַז מיר ביסטו אַ פענצטער, וואו ס'האָט אָפּגעשטראַלט
אַ זונפאַרגאַנג, וואָס שטאַרבט מיט אַ געהיימען גלימער.
דיין האַרץ איז קאַלט, און דיר ווערט זיין אין זומער קאַלט,
ווען אויף דיין לעבן ווערט ניט פאַלן מער מיין שימער.

איך בין פאַרפייניקט־מיד פאַר וועלן זיין אַ גאָט,
פאַר וועלן דיין געמיט אין פייער איבערקנעטן,
אַז ניט די קליינע פריידן פון דער גרויסער שטאָט,
נאָר איין געבענטשטע פרייד זאָלסטו ביים הימל בעטן.
האָסטו אין מיר דעם מייסטער פון דיין בילד פאַרשפּאָט,
און איצט ביסטו אַ פרוי וואָס וועלקט — און ניט קיין געטין.

WITHOUT ME YOU WON'T BE ABLE
TO SEE YOURSELF

Without me you won't be able to see yourself,
like a person who can't see in a darkened room.
Without me you're merely a window reflecting
a sunset which fades away with a secret glimmer.
Your heart is cold, and you'll be cold in summer,
when my light no longer falls across your life.

I'm aching-tired from wanting to be a god,
from wanting to remold your soul in fire
so that you'll ask one blessed joy from heaven
instead of the little joys of a great city.
You've mocked in me the master of your image,
now you're a fading woman—and not a goddess.

מ. ל. האַלפּערן

גלאַט-אַזוי

האָט משה לייב זיך אַנידערגעשטעלט
אין מיטן דער נאַכט, צו דערטראַכטן די וועלט.
הערט ער צום אייגענעם טראַכטן זיך איין —
שעפּטשעט אים עמעץ אין אויער אַריין,
אַז אַלצדינג איז גלייך און אַז אַלצדינג איז קרום
און ס'דרייט זיך די וועלט אַרום אַלצדינג אַרום.
צופּט משה לייב מיט די נעגל אַ שטרוי
און שמייכלט.
פאַרוואָס? —
גלאַט אַזוי.

צופּט ער אַזוי זיך די שטרוי אין דער נאַכט,
טוט זיך אים נאָכאַמאָל עפּעס אַ טראַכט.
טראַכט זיך אים — הערט ער זיך נאָכאַמאָל איין —
שעפּטשעט אים עמעץ אין אויער אַריין,
אַז גאָרנישט איז גלייך און אַז גאָרנישט איז קרום
און ס'דרייט זיך די וועלט אַרום גאָרנישט אַרום.
צופּט משה לייב מיט די נעגל די שטרוי
און שמייכלט.
פאַרוואָס? —
גלאַט־אַזוי.

M. L. HALPERN

JUST BECAUSE

Moyshe Leyb stood up
in the middle of the night to think out the world.
He listens to his own thinking—
someone whispers in his ear
that everything is straight and everything is crooked
and that the world spins around everything.
Moyshe Leyb picks at a straw with his nails
and smiles.
Why?
Just because.

He picks at a straw in the night,
and then he has another thought.
He thinks—he listens again—
someone whispers in his ear
that nothing is straight and nothing is crooked
and that the world spins around nothing.
Moyshe Leyb picks at a straw with his nails
and smiles.
Why?
Just because.

גיי פֿאַרטרייב זיי...

אַז ס׳קומען לייט מיט בלאַטיקע און גרויסע פֿיס,
און פֿרעגן קיינעם ניט, און עפֿענען די טירן,
און נעמען אין דיין הויז ביי דיר אַרומשפּאַצירן
ווי אין אַ זנות־הויז ערגעץ אין אַ הינטער גאַס —
דאָ איז עס זיכער דאָך דעם האַרצנס שענסטער שפּאַס
אַ נעם צו טאָן אַ בייטש אין האַנט, ווי אַ באַראָן
וואָס לערנט זיינס אַ קנעכט גוט־מאָרגן זאָגן,
און פּשוט ווי די הינט זיי אַלע צו פֿאַריאָגן!

וואָס אָבער טוט מען מיט דער בייטש, אַז ס׳קומען לייט
מיט זאַנגען־בלאָנדע האָר און הימל־בלויע אויגן,
און קומען ווי די פֿייגל פֿלינק אַריינגעפֿלויגן,
און וויגן כּלומרשט דיך אין שיינע טרוימען איין,
און גנבֿענען דערווייל זיך אין דיין האַרץ אַריין,
און טוען זינגענדיק די קליינע שיפֿלעך אויס,
און באָדן, ווי אין זומער־טייכלעך קינדער קליינע,
ביי דיר אין האַרצנס־בלוט די פֿיסלעך זיי׳רע שיינע?

GO THROW THEM OUT

When people come with big muddy feet
and open your door without a by-your-leave,
and begin to walk around inside your house
like in a whorehouse off in a back street—
then it's the heart's finest joke
to take a whip in your hand like a baron
teaching his servant how to say goodmorning,
and simply drive them all away like dogs!

But what do you do with the whip when people come
with corn-blond hair and heavenly blue eyes,
bursting in like birds briskly flying,
lullabying you as though with lovely dreams,
and meanwhile stealing into your heart,
singing, taking off their tiny shoes,
and, like children paddling in summer brooks,
dabble their pretty feet in your heart's blood?

MEMENTO MORI

און אַז משה־לייב, דער פּאָעט, וועט דערציילן,
אַז ער האָט דעם טויט אויף די כוואַליעס געזען,
אַזוי ווי מען זעט זיך אַליין אין אַ שפּיגל,
און דאָס אין דער פֿרי גאָר, אַזוי אַרום צען —
צי וועט מען דאָס גלייבן משה־לייבן?

און אַז משה־לייב האָט דעם טויט פֿון דער ווייטן
באַגריסט מיט אַ האַנט און געפֿרעגט ווי עס גייט?
און דווקא בעת ס'האָבן מענטשן פֿיל טויזנט
אין וואַסער זיך ווילד מיט דעם לעבן געפֿרייט —
צי וועט מען דאָס גלייבן משה־לייבן?

און אַז משה־לייב וועט מיט טרערן זיך שווערן,
אַז ס'האָט צו דעם טויט אים געצויגן אַזוי,
אַזוי ווי עס ציט אַ פֿאַרבענקטן אין אָוונט
צום פֿענצטער פֿון זיינס אַ פֿאַרהייליקטער פֿרוי —
צי וועט מען דאָס גלייבן משה־לייבן?

און אַז משה־לייב וועט דעם טויט פֿאַר זיי מאָלן
ניט גרוי און ניט פֿינצטער, נאָר פֿאַרבן־רייך שיין,
אַזוי ווי ער האָט אַרום צען זיך באַוויזן
דאָרט ווייט צווישן הימל און כוואַליעס אַליין —
צי וועט מען דאָס גלייבן משה־לייבן?

MEMENTO MORI

And if Moyshe Leyb the poet should tell
that he saw death in the waves,
as one sees oneself in the mirror,
in the morning, of all times, around ten o'clock,
would they believe Moyshe Leyb?

And if Moyshe Leyb greeted death from a distance
with his hand, and asked, How's it going?
precisely at the moment when thousands of people
were having the time of their life in the water,
would they believe Moyshe Leyb?

And if Moyshe Leyb, weeping, should swear
that he was drawn to death as much
as a fellow mooning around in the evening
at the window of a lady he's made holy,
would they believe Moyshe Leyb?

And if Moyshe Leyb should picture death for them,
not gray and dark, but gorgeously colorful,
just as it showed itself around ten o'clock,
there, far away, between sky and wave, alone,
would they believe Moyshe Leyb?

רחל קאָרן

כ׳בין דורכגעווייקט מיט דיר —

כ׳בין דורכגעווייקט מיט דיר, ווי ערד מיט פרילנגדיקן רעגן
און ס׳הענגט מיין בלאָנדסטער טאָג
ביים קלאַפּנדיקן דופק פון דיין שטילסטן וואָרט,
ווי די בין ביים צווייג פון בליענדיקע ליפּעס.

און כ׳בין איבער דיר, ווי דער צוזאָג פון שפע
אין דער צייט,
ווען אין פעלד גלייכט זיך אוים דער ווייץ מיטן קאָרן.

פון מיינע שפּיצנפינגער טריפט געטריישאַפט אויף דיין מידן קאָפּ,
און מיינע יאָרן,
ווי די בייטן אינם פעלד,
ווערן צייטיק־רייף און אָנגעקוואָלן
פון צער
דיך צו ליבן, געליבטער מאַן.

RACHEL KORN

I'M SOAKED THROUGH WITH YOU

I'm soaked through with you, like earth with spring rain,
and my fairest day hangs
on the pulse of your quietest word,
like a bee near the branch of a flowering linden.

I'm over you like the promise of surfeit
in the time
when the wheat comes up even with the rye in the field.

From the tips of my fingers my devotion pours on your tired
    head
and my years
like sown acres
become timely ripe and gravid
with the pain
of loving you, beloved man.

א בריוו

ווייסט, ליבסטער —
היינט איז דער טאָג אַזוי זוניק און הארב,
ווי א גאָלד־געלע פּרוכט.
איך וואָלט אים גענומען
פאמעלעך און צערטלעך,
אז כ׳זאָל נישט אָפּמעקן פון אים די קלאָרע פארב,
איינגעוויקלט אין דעם ווייכן פלאַקס פון מיינע טרוימען
און געשיקט צו דיר,
ווי א בריוו.

נאָר כ׳ווייס,
אז וואָלטסט דעם „בריוו" צוריקגעשיקט גאָר באַלד
מיט א ראַנד־באַמערקונג גאָר ציכטיק און פיין,
אז אָסור, דו פארשטייסט נישט, וואָס איך מיין
(עס איז דאָך, רחל, מיט דיר אזוי אייביק, אייביק)
און ביסט גאָר בייז,
יאָ, בייז ביסטו אפילו.
ווייל דער קוווערט — איז ליידיק.

A LETTER

You know, sweetheart—
today the day is as sunny and tart
as a yellow-gold fruit.
I'd like to take it
slowly and tenderly,
so as not to erase its translucent color,
and wrap it in the soft flax of my dreams
and send it to you
like a letter.

But I know
you'd send the "letter" back immediately
with a note on the margin, all neat and fine,
that, I swear, you don't understand what I mean
(it's always like this with you, Rachel, always)
and you're angry,
yes, you're even angry.
Because the envelope—is empty.

בענקשאַפט

ס'זענען מיינע חלומות אַזוי פול מיט בענקשאַפט,
אַז ס'שמעקט איעדן אינדערפרי
מיין ליב מיט דיר —
און ס'טריקנט צו פאַמעלעך אויף מיין ציינפּאַרקלעמטער ליפּ
דער איינציקער סימן פון דערשטיקטן טרויער,
אַ טראָפּן בלוט.

און ס'גיסן שוין איבער די שעה'ען, ווי כּוסות,
איינע אין דער צווייטער,
די האָפענונג, ווי טייערן וויין —
אַז דו ביסט נישט ווייט,
אַז אָט, אַ יעדע רגע
קענסטו קומען, קומען, קומען.

LONGING

My dreams are so full of longing
that every morning
my body smells of you—
and on my bitten lip there slowly dries
the only sign of suffering,
a speck of blood.

And the hours like goblets pour hope,
one into the other,
like expensive wine:
that you're not far away,
that now, at any moment,
you may come, come, come.

מיין גוף

מיין גוף איז נאָך ווי ביימער־שטאַם אין וואַלד
געוועגדט צו דער הייך מיט אַלע זיינע גלידער,
די בענקשאַפט גרינט אויפסניי
מיט יעדער יונגער ליבע —

נאָר מיין שאָטן,
ווי אַ שלייער
אויסגעוועבט פון דינסטן טרויער
נעמט שוין פון מיין געשטאַלט די מאָס
פאַר וואַרטנדיקער ערד,
פאַר פייכטן גראָז.

פרירט דער זומער־טאָג
אין רעם אַריינגעפּאַסט
פון שמאָלן שאָטן־פּאַס,
און טונקלער ווערט דאָס גראָז
ביי מיינע פיס,
גלייך ס׳וואָלט עס גראָד באַרירט
דער ערשטער הויך פון האַרבסט.

מיין שאָטן,
ווי אַ שלייער
אויסגעוועבט פון דינסטן טרויער
נעמט שוין פון מיין געשטאַלט
די מאָס
און פאַרשוועסטערט מיך
מיט וואַרטנדיקער ערד,
מיט פייכטן גראָז —
און אין מיין בלוט
הער איך וויינען די וועלט
און דאָס נישט געבוירענע ליד.

MY BODY

My body's like a tree trunk in the woods—
it stretches to the sky with all its branches,
its longing greens again
with each young love—

But my shadow
like a veil
stitched of thinnest mourning,
already takes my measure
for waiting earth,
for moist grass.

The summer day turns icy
in the hoop
of the narrow cask of shadows,
and the grass darkens
at my feet,
as though it were just touched
by a first breath
of autumn.

My shadow
like a veil
stitched of thinnest mourning
already takes
my measure
and sisters me
with waiting earth,
with moist grass—
and in my blood
I hear the world's weeping
and my unborn song.

May 1941   41

כ׳וויל צוגיין אמאָל

כ׳וויל צוגיין אַמאָל,
אויף פינגער־שפּיצן בלויז
צו אַ פרעמדן הויז
און מיט מיינע הענט באַטאַפּן די ווענט —
פון וואָס פאַר אַ ליים עס זענען די ציגל געברענט,
פון וואָס פאַר אַ האָלץ די טיר איז געמאַכט,
און וואָס פאַר אַ גאָט האָט דאָרט זיין געצעלט,
אַז ער האָט עס פון אומגליק און חורבן באַוואַכט?

וואָס פאַר אַ שוואַלב האָט אונטער זיין דאַך
פון שטרוי און פון ערד געקלעבט זיך איר נעסט,
און וועלכע מלאכים פאַר מענטשן פאַרשטעלטע
עס זענען געקומען אַלס געסט?

וואָס פאַר אַ צדיקים האָבן זיי באַגעגנט
און שיסלען מיט וואַסער געטראָגן אַנטקעגן
אום צו וואַשן דעם שטויב פון זייערע פיס,
דעם שטויב פון די ערדישע וועגן?

און וואָס פאַר אַ ברכה האָבן זיי געלאָזן
די קינדער — פון גרוים ביז מעזינקע,
אַז זי האָט זיי באַשערמען געקענט און באַהיטן
פאַר בעלזשעץ, מאַידאַנעק, טרעבלינקע?

פון אַט אַזאַ הויז,
באַצוימט מיט באַמאָלטע שטאַכייטן,
אינמיטן פוןביימער און בלומיקע בייטן,
וואָס בלויען, גאָלדיקן, פלאַמען,
איז אַרויס —
דער מערדער פון מיין פאָלק,
פון מיין מאַמען.

SOMETIMES I WANT TO GO UP

Sometimes I want to go up
on tiptoe
to a strange house
and feel the walls with my hands—
what kind of clay is baked in the bricks,
what kind of wood is in the door,
and what kind of god has pitched his tent here,
to guard it from misfortune and ruin?

What kind of swallow under the roof
has built its nest from straw and earth,
and what kind of angels disguised as men
came here as guests?

What holy men came out to meet them,
bringing them basins of water
to wash the dust from their feet,
the dust of earthly roads?

And what blessing did they leave
the children—from big to small,
that it could protect and guard them
from Belzhets, Maidanek, Treblinka?

From just such a house,
fenced in with a painted railing,
in the middle of trees and blooming flowerbeds,
blue, gold, flame,
there came out—
the murderer of my people,
of my mother.

כ׳וועל לאָזן וואַקסן מיין צער,
ווי שמשון אמאָל זיינע האָר
און דרייען דעם מילשטיין פון טעג
אַרום יענער בלוטיקער שפּור.

ביז אמאָל, אין אַ נאַכט,
ווען כ׳וועל דערהערן איבער מיר
דעם מערדערס שיכורן לאַך,
וועל איך אַ ריס טון פון אַנגלען די טיר
און אַ שאָקל מיט דעם געביי —
ס׳זאָל געבן די נאַכט אַ דערוואַך
פון שוידער, וואָס וועט אַדורך יעדע שויב,
יעדן ציגל און נאָגל און ברעט פונעם הויז,
פון סאַמע גרונט ביזן דאַך —

כאָטש כ׳וויים עס, וויים, מיין האַר,
אַז ס׳וועלן די פאַלנדע ווענט
באַגראָבן בלויז מיך
און מיין צער.

I'll let my sorrow grow
like Samson's hair long ago,
and I'll turn the millstone of days
around this bloody track.

Until one night
when I hear over me
the murderer's drunken laugh,
I'll tear the door from its hinges
and I'll rock the building—
till the night wakes up
from the shaking coming through every pane,
every brick, every nail, every board of the house,
from the very ground to the roof—

Although I know, I know, my God,
that the falling walls
will bury only me
and my sorrow.

Stockholm, 1947

אַ נײַ קלייד

איך האָב זיך אָנגעטון הײַנט,
צום ערשטן מאָל
נאָך זיבן לאַנגע יאָר
אַ נײַ קלייד.

נאָר ס'איז צו קורץ פֿאַר מײַן טרויער
און צו ענג פֿאַר מײַן לייד,
און ס'איז אַ יעדער ווײַס־גלעזערנער קנאָפּ,
ווי אַ טרער,
וואָס פֿליסט פֿון די פֿאַלדן אַראָפּ
פֿאַרשטײנערט און שווער.

A NEW DRESS

Today for the first time
after seven long years
I put on
a new dress.

But it's too short for my grief,
too narrow for my sorrow,
and each white-glass button
like a tear
flows down the folds
heavy as a stone.

Stockholm, 1947

47

משה קולבאַק

גיי איך מיר אַזוי אַרום, אַרום, אַרום
אַ יאָר, און צוויי, און דריי, און ס׳קאָן זיין מער;
איך קום אַזוי זיך, ניט נעבעטן, אומעטום, אומעטום,
און אומעטום איז וויסט און לער...

ס׳איז וויסט און לער,
און אומעטיק,
און נודנע שווער,
ברר!...

MOYSHE KULBAK

I JUST WALK AROUND, AROUND, AROUND

I just walk around, around, around
for a year, and two, and three, and maybe more;
I arrive uninvited everywhere, everywhere,
and everywhere it's void and empty . . .

It's void and empty,
and lonely,
and terribly boring,
brrr! . . .

װעסנעדיקס

ס'ליגן ברייט, ס'ליגן גרויס מיינע באָרוועסע טריט
אויף דעם פעלד, אויף דעם שוואַרצן.
ס'איז מיין ליב אַט די ערד. כ'בין אַ ראָזעווע ליד
פון איר האַרצן.

שטראָמיק כליופּעט מיין הונגעריקער גאַנג אינדערפרי.
כ'שפּרייט פונאַנדער די הענט
טראַלאַלאַ, טראַלאַלאַ!
ס'האָט די שטראַליקע וועלט ניט קיין ווענט.

העי, אַהינטער די פיס, וואָס צעטרעטן מיר,
אַ לויב צו דעם שיכורן לעבן — — —
איך שפּרייז און איך לאַך אין אַ איעטווידער טיר:
האָט איר גאָרניט געזען?
האָט איר גאָרניט געהערט?
ס'האָט די וועלט זיך מיר אונטערגעגעבן...

SPRING

My barefoot steps lie broad and big
on the field, on the black field.
My flesh is the earth, I'm the ryebread-song
in its heart.

My hungry walk inundates the morning.
I spread my arms:
tra-la-la, tra-la-la!
The luminous world has no walls.

Hey, down with the feet that trample me,
hurray for the drunken life . . .
I strut and laugh into every door:
Haven't you seen anything?
Haven't you heard anything?
The world has surrendered to me.

זומער

היינט האָט די וועלט זיך אויפגעוויקלט ווידער ניי;
דער גראָבער קנאָספּ, די פּולע ערד, די גרינע שושקריי —
ס'האָט אַלץ געציטערט, ווי אַ שטייפער מיידל־לייב
פאַרציטערט ווערט פון שאַרפער פרייד ביים ווערן ווייב...

און איך בין, ווי אַ קאַץ, געלעגן אויפן מיט פון פעלד,
וואו ס'האָט געשפּריצט, געבליצט, געפינקלט און געהעלט,
איין אויג פאַרשמירט מיט זון, דאָס צווייטע — צוגעמאַכט,
כ'האָב שוויינגדיק געקוואָלן, שווייגנדיק געלאַכט...
אריבער מיילן פליין, און וואַלד, און טאָל —
דאָ וואַלגער איך זיך אום — אַ בלאַנקער, האַרטער שטאָל.

SUMMER

Today the world unwrapped itself again,
fat bud, full earth, green whispering,
everything trembled the way taut girl flesh
trembles with the sharp joy of becoming a wife . . .

Like a cat I lay in the middle of the field
where it splashed, flashed, sparkled and glistened,
one eye smeared with sun, the other—closed,
and silently rejoiced, silently laughed . . .
over miles of plain and forest and valley—
here's where I lounge about—a splendid hard steel.

צוויי...

צוויי מענטשן, וואָס וואוינען אַ טיר לעם אַ טיר;
צוויי שכנים, צוויי בחורים הויכע, —
אַ מיידלדיקס איינס און אַ בריאה אַ בלייכע
(אין מיר, אין מיר, אין מיר).
צוויי מענטשן, וואָס וואוינען אַ טיר לעם אַ טיר.

איך שלאָף. פלוצלונג טשוכען זיך עמעצנס הענט...
(אַז איינער גייט שלאָפן שטייט אויפעט דער צווייטער)
ער וויקלט פונאַנדער אַ שאָטנדיק-לייטער
און קריכט אויף די ווענט, אויף די ווענט, אויף די ווענט.
איך שלאָף. פלוצלונג טשוכען זיך עמעצעס הענט.

און אַמאָל, ווען מען זיצט ביי אַ גלעזעלע וויין
(עס טרעפט, אָי, עס טרעפט, הלוואי זאָל ניט טרעפן),
דאָס מענטשעלע טוט דאַן אַ טירל אַן עפן
און שפייט אין אַ פנים אַריין...
אָ, אַמאָל ווען מען זיצט ביי אַ גלעזעלע וויין.

צוויי מענטשן, וואָס וואוינען אַ טיר לעם אַ טיר;
צוויי שכנים, צוויי בחורים הויכע, —
אַ מיידלדיקס איינס און אַ בריאה אַ בלייכע
(אין מיר, אין מיר),
צוויי מענטשן, וואָס וואוינען אַ טיר לעם אַ טיר.

TWO

Two people live side by side;
two neighbors, two tall boys,—
a girlish one and a pale creature
(in me, in me, in me).
Two people live side by side.

I'm asleep. Suddenly someone's hands start . . .
(when one goes to sleep, the other awakes)
he unrolls a shadowy ladder
and climbs up the walls, up the walls, up the walls.
I'm asleep. Suddenly someone's hands start.

Sometimes when I sit with a glass of wine
(it happens, it happens, if only it didn't),
the little man opens a tiny door
and spits in my face . . .
O, sometimes when I sit with a glass of wine.

Two people live side by side;
two neighbors, two tall boys,—
a girlish one and a pale creature
(in me, in me),
two people live side by side.

זישאָ לאַנדוי

גלידער

אָ, וויפיל זאָגן אונז די גלידער פון א מענטשן! —
א האנט, וואָס עמיץ לייגט אַזוי זיך אויף די קני,
א האלז, אַן אקסל, וואָס דו האָסט באַגעגנט
אין רוישיקן קאַפע אין טראַם, צי אין טעאַטער.
ווי אָפטמאָל טרייסלען אויף דאָס הארץ אונז ליפּן,
וואָס קומען אונז אַנטקעגן אומגעריכטערהייט;
עס ריידן האָר און בייכער, ס'רעדן בליקן
אַזוינס וואָס ווערטער קענען ניט!
ווי מאַכן ציטערן דאָס הארץ אונז פיסלעך,
די לייכטע פרויען פיס, וואָס שוועבן אָפּט פאַרביי!
דאָך איך האָב ליב נאָר די וואָס זיינען גראָב און אומגעלומפּערט;
אַן גוטע פריינט, אַן אַלטע בריוו דערמאָנען זיי,
און אויך אַן דער, וואָס שענקט אונז אונזער לעבן.

ZISHA LANDAU

PARTS

A man's parts tell us such a lot!—
A hand someone puts on his knees, like this,
a neck, a shoulder that you notice
in a noisy café, in a bus, perhaps a theater.
How many times your heart is jolted by lips
you suddenly meet;
hair and bellies speak, glances speak,
things that words can't say!
How feet can shake your heart!
Light women's feet skimming by!
But I love those best that are thick and clumsy,
they remind me of good friends, old letters,
and of her who gave me my life.

איך האָב צו אייך אַ גרויסע טובה, ברידער...

איך האָב צו אייך אַ גרויסע טובה, ברידער...
עס האַנדלט, נעמלעך, זיך אין דעם, אַז איר
מיט אייער טיפער חכמה און פאַרשטענדניש,
זאָלט מיר דערקלערן צי איך בין גערעכט. —
כ'האָב לעצטנס, ברידער, אַ געפיל: פון אַלע ליפּן,
וואָס שטייען גרייטע אויף דער וועלט געקושט צו ווערן,
אַם זיסטן זיינען די, וואָס זיינען צוגעוועלקט צוביסלעך,
וואָס זיינען בלייך, צעקנייטשט און אָפּגעקראָכן. אין קורצן די,
וואָס זיינען אויסגעקושט, צעקושט און דורכגעקושט געוואָרן.
אויף וויפיל ס'קען אַ מענטש זיין אייגן הארץ באַגרייפן,
שטאַמט דאָס געפיל אין מיר דערפון, וואָס איך
האַלט זיך ביי מייניקן: ביי אונזער שטאַנד און יאָרן
אין זעכצן יעריק בלוט אַן אומזין: איך האָב ניט איינמאָל שוין פּרובירט.
ביים קין אַ זעכצן יעריקס צו נעמען,
האָט דאָס אַזאַ מין צאַפּל אונטער מיינע הענט געגעבן,
אַז ס'האָבן ציטערן די הענט מיר אָנגעהויבן,
ווי כ'וואָלט אַ מייזל אָנגעהאַלטן ביי דעם עקל.
אָ, ברידער מיינע, עס וויל ניט אייער ברודער פּלאַטערן
אין אָנגעזויכט פון זיין אַלטעגלעך ברויט!
דערפאַר ווענדט ער אַצינד זיך נאָך אַן עצה
צו אייער טיפער חכמה און פאַרשטענדניש.

I HAVE A BIG FAVOR TO ASK YOU, BROTHERS

I have a big favor to ask you, brothers . . .
Namely, it has to do with the fact that you
with your deep wisdom and understanding,
might tell me if I am right.—
Lately, brothers, I have a feeling: of all the lips
that stand ready in the world to be kissed,
the sweetest are those that are a little bit faded,
that are pale, crumpled, and discolored. In short, those
that are kissed out, kissed up, kissed through and through.
So far as a man can understand his own heart,
the feeling in me stems from my
sticking to my opinion: in our condition, in our years,
sixteen-year-old blood is nonsense: I've tried more than once
to take a sixteen-year-old by the chin
but it gave such a shudder in my hand
that my own hands began to shake
as though I were holding a little mouse by its tail.
O brothers of mine, your brother doesn't want to
risk his daily bread!
That's why he turns to you now for advice,
to your deep wisdom and understanding.

דינסטיק

צוויי הייסע גלעזער טיי מיט מילך האָב איך מיר אויסגעטרונקען,
א דריי־פיר צוויבאַק אויפגעגעסן;
דערנאָך בין איך א לאַנגע צייט ביים טיש געזעסן,
גערויכערט און געקוקט מיר אויף א נאָגל אין דער וואַנט,
פיר לידער איבערזעצט פון דייטש,
א מידער אויף דער סאָפע זיך אוועקגעלייגט,
ארום דעם קאָפּ די הענט פארלייגט
און דריי מאָל צו דעם באַלקן אויסגעשפיגן.
מיר איז געוואָרן שווער,
פארוואָס דער זומער איז פארגאַנגען.
איך וואָלט דאָך איצט שפּאַצירן מיר אין פּארק געגאַנגען,
צי גאָר אין שטוב געכאַפּט מיר פליגן.
און נאָך אַמאָל האָב איך צום באַלקן דריי מאָל אויסגעשפיגן,
און אַלע דריי מאָל ניט געטראָפן,
דערנאָך בין איך מיר איינגעשלאָפן.

TUESDAY

I drank up two glasses of hot tea and milk,
ate up three or four zwieback:
then I sat at the table for a long time,
smoked and looked at a nail on the wall,
translated four poems from German
and lay down tired on the sofa,
put my hands behind my head
and spat three times up at the ceiling.
I felt heavy
because the summer was over.
Otherwise I'd now go for a walk in the park,
or even hang around the house catching flies.
Again I spat up at the ceiling three times,
and missed all three times,
then I fell asleep.

אַוודאי ווייס איך —

אַוודאי ווייס איך, היינט איז זונטיק
און מאָרגן וועט שוין מאָנטיק זיין,
און נאָכן פרילינג קומט דער זומער,
און אונזער אָרדנונג איז אַ שלעכטע,
און אין ניו יאָרק וואוינט אפּאַטאַשו,
דער שטאָלץ פון פראַנקרייך איז זשאָרעס.

איך ווייס אויך פילע סודות טיפע:
דער הערצאָג פון אַברוצי איז
קיין הערצאָג ניט. ר'איז אונזער גלייכן,
און גייט זיך אָפּט אין גאַס שפּאַצירן
אין שיינע טעג; דער מאַנטל אויף דער האַנט.

איך ווייס אויך: דאַרווין האָט געטראָפן,
קאָפּערניק איז געווען גערעכט,
דאָך בעסער פון דעם אַלעם ווייס איך:
איך
בין
אַ פאַרלאָרענער אויף אייביק.

OF COURSE I KNOW

Of course I know today is Sunday
and tomorrow will be Monday
and after spring comes summer
and our system is a bad one,
and in New York lives Opatoshu,
the pride of France is Jaures.

I also know many deep secrets:
the Duke of Abruzzi is
no duke. He's our equal,
and often goes walking down the street
on nice days; his coat over his arm.

I also know: Darwin guessed right,
Copernicus was right,
but best of all I know:
I
am
lost forever.

דאָס קליינע חזיר׳ל

דאָס קליינע חזיר׳ל האָט מיט דעם אָפּגעזעגטן מויל
א גראָב געטאָן אין אָפּפאַל טיף, אז ס׳האָט א דאַמף זיך אויפגעהויבן.
און נאָכדעם האָט עס אָנגעשטעלט אויף מיר
צוויי מילדע, ח׳נוודיקע מאַנדל-אויגן.
א ווארימקייט האָט דורכגעפלאָסן מיך, ווען איך
האָב צוגעקוקט ווי ס׳דרייט און דרייט זיך,
און ענדלעך דרייט עס אין א שפּיץ זיך אוים דאָס עקל זיינס;
אָ, וויפיל חן ליגט אין די חזר׳שע עקלעך!
אָ, וויפיל צערטלעכקייט! אָ, וויפיל רייץ און אומשולד!
ס׳איז רייצנדיק און חנ׳עוודיק ווי יענער לאָק, וואָס אין מיין יוגנט
האָט ניט איין שעה פון רו גערויבט ביי מיר!
און צערטלעך איז עס און אזוי אומשולדיק
ווי דיינע פערזן, געטלעכער ווערלען!

THE LITTLE PIG

The little pig with its sawed off snout
dug so deeply into the garbage that steam rose up.
And then it examined me
with two mild charming almond eyes.
A warmth flowed through me when I
saw how it twirled and twirled
and finally twirled its little tail into a point.
O how much charm there lies in a pig's tail!
O how much tenderness, O how much grace and innocence!
It's as graceful and charming as that curl that in my youth
robbed me of more than one hour of rest!
And it's as tender and as innocent
as your lines, divine Verlaine!

ה. לייוויק

ווי קומט אהער?

ווי קומט אהער אין קראַנקן־קאַמער
דער פילאָסאָף דער אַמסטערדאַמער?

איך קוק זיך איין — קיין צווייפל מער.
ס'איז ער. ס'איז ער.

די פולע ליפּן. די לאַנגע נאָז.
דער גאַנצער קאָפּ ווי אונטער גלאָז.

עס אָטעמט שווער זיין קראַנקע ברוסט
אין אָפּטן איבעררייס פון הוסט.

דרייהונדערט יאָר — ווי איין מינוט.
אויף ליפּ — אַ פרישער טראָפּן בלוט.

דרייהונדערט יאָר לבנה'ס שטראַלן
אויף קאָפּ און קישן פאַלן. פאַלן.

אָ, גנעטלעכער, איך ריר דיך אָן. —
וואַך אויף. שטיי אויף. דערקאָן.

H. LEIVICK

HOW DID HE GET HERE?
(Spinoza Cycle, No. 2)

How did he get into this sickroom,
the philosopher from Amsterdam?

I look at him—there's no uncertainty.
It's he, it's he.

The full lips. The long nose.
The whole head as though under glass.

His sick chest heaves, straining,
racked, racked, by fits of coughing.

Three hundred years—as though one minute.
A drop of blood dots his lip.

Three hundred years of moonlight fall
on his head and pillow. Fall.

Holy one, I touch your sleeve.
Wake up. Rise up. Recognize me.

צוויי מאָל צוויי איז פיר

די תאווה׳דיקע פעל
פון גוף אראָפּגעשיילט;
וואָס טוט מיין ריינע זעל?
זי ציילט, זי ציילט.

צוויי מאָל צוויי איז — פיר,
איך מאָל איך איז — דו,
דו מאָל דו איז — מיר,
טויט מאָל טויט איז — רו.

אין מזרח־זייט מיין קאָפּ,
די פיס אין מערב־זייט;
יאָג גיכער, שטיי נישט אָפּ, —
נאָנט מאָל נאָנט איז — ווייט.

שאָרך ביים טיר. — סטוק, סטוק. —
ס׳איז אָפן, קום אריין, —
לויכט אויף אין לעצטן קוק, —
טויט מאָל טויט איז — זיין.

TWO TIMES TWO IS FOUR
(Spinoza Cycle, No. 11)

My body's passion-hide
is stripped away. My pure
soul, what does she do?
She counts, she counts.

Two times two is—four,
I times I is—you,
you times you is—me,
death times death is—rest.

My head is in the east,
my feet are in the west;
drive quicker, don't get lost—
near times near is—far.

Tap the door.—Knock, knock.—
It's open, come right in,—
kindle the last look,—
death times death is—being.

א גאַנצע לאַנגע נאַכט

א גאַנצע לאַנגע נאַכט האָט שטורעמדיק גערעגנט,
דער אַלטער עפּלבוים האָט זיך געדרייט אין קעלט,
געקלאַפּט תחנונימדיק אין לייוונטן געצעלט,
ווי ער וואָלט מיט זיין טיפער עלטער זיך געזעגנט.
נאָר אין באַגינען, ווען דער מזרח איז עק־וועלט
אַרויס דער זון דער אויפגעשטאַנענער אַנטקעגן —
אַזוי האָט גלייך דער בוים מיט שמחה זיי באַגעגנט,
ווי ס'וואָלט אויף אים קיין מינדעסט בלעטל נישט געפעלט.

און אין געצעלט איז, ווי אַן איינגעבּישופּטער, אַ מענטש געשלאָפן,
און נישט דעם בוימס און נישט דעם רעגנס קלעפּ געהערט,
און אין דער פרי מיט אויגן נאָך אין שלאָף פאַרלאָפן,
באַטראַכט האָט ער די פרישע שטראָמען פון דער ערד,
און אויף זיין קאָפּ, דורך אויפגעשטראַלטן נעפּל,
געפאַלן זיינען מיט אַ הילך פרימאָרגן־עפּל.

THROUGH THE WHOLE LONG NIGHT

Through the whole long night the rain stormed down,
the old apple tree twisted with cold,
pounded for help on the canvas tent
as though saying goodbye to his deep old age.
But at dawn when the east on the world's edge
came face to face with the rising sun—
the tree came to meet it with instant joy,
as though his smallest leaf had not fallen away.

In the tent a man slept, as though under a spell—
not hearing the clatter of tree or rain,
and at dawn, his eyes still clogged with sleep,
he gazed at the fresh pools on the ground,
while over his head, through sun-streaked mist,
the morning apples clanged as they fell.

איציק מאַנגער

איינזאַם

קיינער ווייסט נישט, וואָס איך זאָג,
קיינער ווייסט נישט, וואָס איך וויל —
זיבן מייזלעך מיט אַ מויז
שלאָפן אויפן דיל.

זיבן מייזלעך מיט אַ מויז
זענען, דוכט זיך, אַכט —
טו איך אָן דעם קאַפּעלוש
און זאָג: „אַ גוטע נאַכט".

טו איך אָן דעם קאַפּעלוש
און איך לאָז זיך גיין.
וואו זשע גייט מען שפּעט ביינאַכט
איינינקער אַליין?

שטייט אַ שענק אין מיטן מאַרק,
ווינקט צו מיר: „דו יאָלד!
כ'האָב אַ פּעסעלע מיט וויין,
אַ פּעסעלע מיט גאָלד".

עפן שנעל איך אויף די טיר
און איך פאַל אריין:
„אַ גוט יום־טוב אַלע אייך,
ווער איר זאָלט נישט זיין!

קיינער ווייסט נישט, וואָס איך זאָג,
קיינער ווייסט נישט, וואָס איך וויל —
צוויי שכורים מיט אַ פלאַש
שלאָפן אויפן דיל.

ITZIK MANGER

ALONE

Nobody knows what I say,
nobody knows what I need—
seven mice and a mouse
are on the floor asleep.

Seven mice and a mouse
I think make eight—
I put on my hat
and I say goodnight.

I put on my hat
and I start to go.
But where to go late at night?
All alone?

A bar in the market place
winks at me: "You fool!
I've a firkin of wine,
a firkin of gold."

Quickly I open
and fall through the door:
Greetings to all,
whoever you are!

Nobody knows what I say,
nobody knows what I need—
two drunkards and a bottle
are on the floor asleep.

צוויי שכורים מיט אַ פלאַש
זענען, דוכט זיך, דריי.
זיין אַ פערטער דאָ אין שפּיל
לוינט זיך? — נישט כדאי.

טו איך אָן דעם קאַפּעלוש
און איך לאָז זיך גיין.
וואוזשע גייט מען שפּעט ביינאַכט
אייניקער אַליין?

Two drunkards and a bottle
I think make three.
Shall I make a fourth?
Not me.

I put on my hat
and I start to go.
But where to go late at night?
All alone?

האַרבסט

סעפּטעמבער. דער ציגיינער און די נאַכטיגאַל
ווייסן זיך נישט וואו אַהינצוטאָן.

אַ לבֿנה־גייער שלאָפֿט ביים קילן טייך
פֿון אַלע חלומות אויסגעטאָן.

אָפעליאַ, קראַנקע אָפעליאַ!

די מידקייט אין אַ זיידן שפּיצן־העמד
גלעט מיט די פֿינגער דאָס גראָע טאָל,

זי גלעט און זאָגט שפּרוכן און זי וועקט
דאָס בלאָע וואונדער פֿון אַמאָל

אָפעליאַ, קראַנקע אָפעליאַ!

די גרינע אויגן פֿון דער סעפּטעמבער־נאַכט
קוקן מיד דורך אַלע שויבן אָן.

אין די אויגן — געוויין פֿון ווילדע סעץ.
וואָס גייען אונז די דאָזיקע אויגן אָן?

לאָמיר אַנטלויפֿן! וואו אַנטלויפֿט מען, וואו?
דער בלינדער לאָמטערן שטייט און וואַכט,
און די טירן און פֿענסטער זענען צו —

טו תשובה, אָפעליאַ!

פֿון אַלאַדינס בלאָען כּישוף־לאָמטער
האָט זיך דאָס וואונדער אָפּגעטאָן,

AUTUMN

September. The gypsy and the nightingale
don't know what to do with themselves.

A moonwalker sleeps near the cool river,
stripped of all his dreams.

Ophelia, sick Ophelia!

Weariness in a silk dressing gown
smooths the gray valley with her fingers.

She smooths and says incantations and wakes
the blue marvel of once upon a time.

Ophelia, sick Ophelia!

The green eyes of the September night
look wearily through the windowpanes.

In those eyes—cries of wild cats—
what are those eyes to us?

Let's run away. But where can we run?
The blind lantern stands and watches,
and the doors and windows are closed—

Repent, Ophelia!

This marvel took off
from Aladdin's magic blue lantern,

און דער ציגיינער און די נאַכטיגאַל
ווייסן זיך נישט וואו אַהינצוטאָן —

און איציק מאַנגער שלאָפֿט אויפֿן הארטן דיל
פֿון אַלע חלומות אויסגעטאָן.

and the gypsy and the nightingale
don't know what to do with themselves.

And Itzik Manger sleeps on the hard ground,
stripped of all his dreams.

אבישג שרייבט אהיים אַ בריוו

אבישג זיצט אין איר חדרל
און שרייבט אהיים אַ בריוו:
אַ גרוס דער טאַלעקע מיט שאָף —
זי שרייבט און זיפצט אָפּ טיף.

אַ גרוס דער אַלטער מאַמעשי
און דעם אַלטן ליפּעבוים;
זי זעט די ביידע אַלטע לייט
אָפּט מאָל אין איר טרוים.

אַ גרוס דעם שיינעם מילנעריונג
וואָס אַרבעט אין דער מיל —
דעם פּאַסטוך עוזר, איר זאָל זיין
פאַר זיין פּייפּלשפּיל —

דער מלך דוד איז אַלט און פרום
און זי אַליין איז „עט",
זי איז דעם מלכס וואַרעמפלאַש
וואָס וואַרעמט אים דאָס בעט.

זי האָט געמיינט... נאָר מאַלע וואָס
אַ דאָרפיש מיידל מיינט...
זי האָט נישט איין מאָל אין די נעכט
איר גורל שטיל באַוויינט.

אמת, סע זאָגן קלוגע לייט,
אַז זי טוט אַ וואוילע זאַך.
זיי זאָגן איר אַפּילו צו
אַ שורה אין תנ"ך.

ABISHAG WRITES A LETTER HOME

Abishag sits in her room
and writes a letter home:
Greetings to the calves and sheep—
she writes, sighing deeply.

Greetings to her old mother
and the old linden tree;
she sees both old folk
in her dreams frequently.

Greet the handsome miller
who works in the mill—
and the shepherd Oizer, whose
piping she cherishes still.

King David is old and pious
and she herself is, "oh, well"—
She's the king's hotwater bottle
against the bedroom chill.

She thought—but who cares what
a village girl may think . . .
more than once at night
she softly mourned her fate.

True, wise people say
she's being charitable.
They even promise her
a line in the Bible.

א שורה פאַר איר יונגן לייב
און פאַר אירע יונגע יאָר.
א שורה טינט אויף פּערגאַמענט
פאַר א גאַנצער וואָר.

אבישג לייגט אוועק די פּען,
איר האַרץ איז מאָדנע שווער,
פון אירע אויגן קאַפּעט, פאַלט
אויפן בריוו א טרער.

די טרער פאַרמעקט די „מאַמעשי"
און פאַרמעקט דעם „ליפּעבוים"
און אין א ווינקל כליפּעט שטיל
א צאַרטער מיידלטרוים.

A line for her young flesh,
the years of her youth.
A line of ink on parchment
for the whole long truth.

Abishag puts down her pen,
her heart is strangely bitter,
a tear drips from her eyes
and falls on the letter.

The tear erases "mother"
and erases "linden tree"
while girlish in a corner
a dream sobs tenderly.

רחל גייט צום ברונעם נאָך וואַסער

רחל שטייט בײַם שפּיגל און פֿלעכט
אירע לאַנגע שוואַרצע צעפּ,
הערט זי ווי דער טאַטע הוסט
און סאַפּעט אויף די טרעפּ.

לויפֿט זי גיך צום אַלקער צו:
„לאה! דער טאַטע! שנעל!"
לאה באַהאַלט דעם שונדראָמאַן
און ווײַזט זיך אויף דער שוועל.

דאָס פּנים בלייך און אויסגעצאַמט,
די אויגן רויט און פֿאַרוויינט.
„לאה, מאַכסט פֿון די אויגן אַ תּל,
גענוג שוין פֿאַר הײַנט געליינט".

און רחל נעמט דעם וואַסערקרוג
און לאָזט זיך צום ברונעם גיין —
די דעמערונג איז בלאָ און מילד,
כאָטש נעם און כאַפּ אַ וויין.

זי גייט. און איבערן טונקעלן פֿעלד
בליצט שנעל פֿאַרבײַ אַ האָז.
— טשיריק! — אַ למד־וואָווניקל
טשירקעט אין טיפֿן גראָז.

און אויפֿן הימל שעמערירט
אַן אוירינגל פֿון גאָלד:
„ווען ס'וואָלטן כאָטש געווען צוויי,
אײַ וואָלט איך זיי געוואָלט".

RACHEL GOES TO THE WELL FOR WATER

Rachel stands by the mirror and plaits
her long black braids,
she hears her father cough
and wheeze on the stairs.

She runs up to the windowseat:
"Leah! It's father! Quick!"
And Leah comes to the door,
hiding her trashy book.

Her face is drawn and ashen,
her eyes red and weepy.
"Leah, you'll ruin your eyes,
you've read enough today."

And Rachel takes the pitcher
and starts off towards the well—
the twilight is blue and mild,
it makes you want to cry.

As she crosses the dark field
a rabbit flashes by.
Chirik!—a little cricket
chirps in the deep grass.

And in the sky there shimmers
an earring made of gold:
"If only there were two,
I'd like to have them both."

א פּײַפּל פּײַפּלט אין דער נאָענט:
טרילי, טרילי, טרילי —
און ס'שמעקט מיט דעמערונג און היי
פֿון אַלע שאָף און קי.

זי לױפֿט. שוין שפּעט. אין חומש שטייט:
בײַם ברונעם וואַרט א גאַסט,
די קאָץ האָט זיך געוואַשן הײַנט
און זי האָט הײַנט געפֿאַסט.

זי לױפֿט און ס'פֿינקלט איבער איר
דאָס אוירינגל פֿון גאָלד:
ווען ס'וואָלטן כאָטש געוועזן צוויי,
אײַ וואָלט זי זיי געוואָלט.

A piper whistles near her:
tri-li, tri-li, tri-li—
The air is full of dusk and hay
from all the cows and sheep.

She runs. It's late. The Good Book says:
a guest waits near the well,
today the cat has washed her face,
today she fasted too.

She runs. And high up sparkles
the earring made of gold:
If only there were two,
she'd like to have them both.

אַננאַ מאַרגאָלין

אוראַלטע מערדעריין נאַכט, שוואַרצע מוטער אין נויט, העלף מיר!
פאַרנאַר אים, פאַרשפּין אים, פאַרשלינג אים, דערשלאָג אים
צום טויט!

און איך,
וואָס טרערן זיינען געווען מיין געטראַנק,
און שאַנד מיין ברויט,
וועל טרינקען פאַר׳חלשט,
גיריק און לאַנג,
ווי אַ ליבעס־געזאַנג,
זיין ווייב׳ס געוויין,
דאָס שווייגן פון קינדער,
דאָס פליסטערן פון פריינט
נאָך זיין געביין.
וועל אויפשטיין ווי איינע, וואָס איז לאַנג געווען קראַנק,
אַ שוואַרץ געשפּענסט אין מאָרגנרויט,
וועל זיך בוקן צו אַלע פיר עקן פון רוים
און זינגען, און זינגען, און זינגען צום לעבן
אַ לויב פאַרן טויט.

ANNA MARGOLIN

ANCIENT MURDERESS NIGHT

Ancient murderess night, black mother in need, help me!
Beguile him, entangle him, swallow him, beat him to death!

And I,
whose drink was tears,
whose bread was shame,
will drink swooning
greedily and long
like a lovesong
his wife's crying,
his children's silence,
his friends' whispering
over his corpse.
I'll get up like someone who's long been sick,
a black figure in morning-red,
and I'll bow to all four corners of space
and sing and sing and sing to life
my praise of death.

יאָרן

ווי פּרויען, וועלכע זיינען פיל געליבט און דאָך ניט זאַט,
און גייען דורכן לעבן מיט געלעכטער און מיט צאָרן
אין די אויגן זייערע פון פייער און אַגאַט —
געוועזן אַזוי זיינען די יאָרן.

און זיינען אויך געוועזן ווי אַקטיאָרן,
וואָס שפּילן מיט אַ האַלב־מויל „חאַמלעט" פאַר'ן מאַרק;
ווי אין לאַנד, אַ שטאָלצן, גראַנסיניאָרן,
וואָס כאַפּן אָן דעם אויפשטאַנד פאַר'ן קאַרק.

און זע, ווי דעמוטיק זיי זיינען איצט, מיין גאָט,
און שטום ווי אַ צעשמעטערטער קלאַוויר,
און נעמען אָן פאַר ליב אַ יעדנס שטוים און שפּאָט,
און זוכן דיך, ניט גלויבנדיק אין דיר.

YEARS

Like women who are loved very much and are still not sated,
who walk through life with laughter and anger,
and in their eyes shine fire and agate—
that's how our years were.

And they were like actors, playing
Hamlet out of the side of their mouths in the square;
like grandees in a land, a proud land,
who seize rebellion by the scruff of the neck.

But now see how submissive they are, my God,
as silent as a smashed piano,
and they take each blow and taunt as a caress,
and seek you, not believing in you.

קאַדיע מאָלאָדאָווסקי

ביינאַכטיקע געסט

ביינאַכט איז געקומען אַ פויגל צו מיר,
און געקלאַפּט מיט די פליגל,
אין מיין פענצטער און טיר.
— קום אריין, פויגל־פידל, גוטער קלעזמער פון מיין יוגנט־ליד,
איך האָב ברויט נאָך און וואַסער פאַר דיר אָפּגעהיט,
קום אריין, זיי מיין גאַסט, זיי געערט.
ס'איז אונדז ביידן דאָס לעבן און דאָס שטאַרבן באַשערט.

און אַ קאַץ איז געקומען פאַרבלאָנדזשעט פון נאַכט,
געדראַפּעט מיט נעגל,
געדראַפּעט, געשאַרט.
— קום אריין, קיצל־קעצל, פון מיין קינדהייט סטראַשנער ווילדטיר,
איך האָב ניט איין מאָל דעם בעזים פאַרזוכט צוליב דיר.
קום אריין, זיי מיין גאַסט, זיי געערט,
ס'איז אונדז ביידן צו בלאָנקען, נע־ונד זיין באַשערט.

און אַ ציג איז געקומען, דאָס בערדל פאַרשפּיצט,
געקלאַפּט מיט די קלאָען,
מיט די הערנער געקריצט.
— קום אריין, ציגל־מיגל, קורצע בערדל, מילך אין קריגל.
דיין ליד נאָך־ביז־היינט מאַכט מיין בעט פאַר אַ וויגל.
קום אריין, זיי מיין גאַסט, זיי געערט,
ס'איז אונדז ביידן אַ מלמדישע דאָליע באַשערט.

ביינאַכט, אַ מענטש איז געקומען, זיך געשטעלט ביי מיין טיר,
און אַן אנגסטיקע שרעק
איז געפאַלן אויף מיר.
— ווער ביסטו? צי דו טראָגסט ניט אַ מעסער אין האַנט?
צי דו טאַיעסט פאַרראַט? צי דו טליעסט אַ בראַנד?
און די טיר כ'האָב פאַרשלאָסן, פאַרהאַקט און פאַרקלעמט,
און געפאַלן, דאָס פּנים פאַרדעקט מיט די הענט.

KADYA MOLODOVSKY

NIGHT VISITORS

One night a bird came to me
and knocked with its wings
on my window and door.
—Come in, feather-fiddle, kind musician of my child-song,
I've saved you some water and bread,
come in, be my guest, be honored.
We're both destined to live and to die.

And a cat came, wandering in the night,
scratched with its claws,
scratched and scraped.
—Come in, kit-kat, frightful beast of my childhood,
I've often been spanked because of you.
Come in, be my guest, be honored.
We're both vagabonds destined to roam.

And a nanny-goat came, with its pointed beard.
It knocked with its hoofs,
scratched with its horns.
Come in, nanny-granny, short-beard, milk-in-mug.
Your song still makes a cradle of my bed.
Come in, be my guest, be honored.
We're both destined to teach for a living.

One night a man stood at my door,
and a terrible fear
took hold of me.
—Who are you? Is that a knife in your hand?
Are you a betrayer? A firebrand?
And I locked and barred and bolted the door,
and fell, hiding my face in my hands.

איז די נאַכט געווען פינצטער, אַזוי פינצטער, אַז ס'בלינד.
און מיין דיל איז געווען אַזוי האַרט, ווי אַ שטיין,
און פון יענער זייט טיר איז געשטאַנען דער מענטש,
און פון יענער זייט טיר כ'האָב דערהערט אַ געוויין.

And the night was dark, almost blind.
And my floor became hard as a stone,
and outside the door the man was standing
and outside the door I heard him crying.

אין שטאַל פֿון לעבן

מײַן אָרעמער פּעגאַז גײט צופּוס.
אי ער, אי איך — מיר האָבן בײדע שױן פֿאַרגעסן שװעבן.
די װעלט איז זײער קלײן,
עס טריקנט אױס דער ים.
איך האָב דעם װילדן סוס אײַנגעשפּאַנט אין שטאַל פֿון לעבן.
שלעפּן מיר זיך בײדע שפּאַן נאָך שפּאַן.

און װער האָט אָפּגעשאָסן פֿליגלען זײַנע?
און װער האָט אָפּגעגריזשעט שפּיץ פֿון פּען?
די זון פֿאַרגײט, די שױבן בלוטיק שײַנען.
אָט ענדיקט זיך די זון. אָט ענדיקט זיך מײַן זען.

קומט, שורות, שטעלט זיך אױס, גיט מיך אַ הױב.
איר זענט מײַן שוץ און אױך מײַנע באַפֿעלער.
איך קען ניט איבערגײן דעם צאַם פֿון שפּינװעבס און פֿון שטױב
און ס׳װערט מײַן פֿעלד אַלץ טונקעלער און שמעלער.

װאָס טױג באַרימערײַ, װאָס טױג?
װאָס טױג אַ מעשה נאָך אַ מעשה קנעטן?
נישט שטײ, פּעגאַז, צו נאָנט לעם הײ פֿון סטױג,
דו קענסט, חלילה, װערן אַ חמור מיט עפּאָלעטן.

IN LIFE'S STABLE

My poor Pegasus must go on foot.
Both he and I—we've clean forgotten how to fly.
The world is very small,
the sea is drying up.
I've tied up this wild pony in the stable of life.
Now both of us drag our feet.

Who shot away his wings?
Who gnawed the point off my pen?
The sun sinks down, the windowpanes shine bloody.
The sun comes to an end. My sight comes to an end.

Come, lines, arrange yourselves, raise me up.
You're my bodyguard, my generals.
I can't cross over this fence of webs and dust,
the whole field darkens, narrows.

What good is boasting, what good is it?
What's the good of kneading out story after story?
Pegasus, don't stand too close to your stack of hay.
God forbid, you might become a donkey with epaulets.

לייב ניידוס

אין דער פרעמד

כ׳האָב גאַנצע נעכט — (אַך פרעג נישט וויפל!)
געוועזן מיט לייד און טרוימען רייך...
געבענקט נאָך דיר, ווי ס׳בענקט אַ שיפל
נאָך קילע וועלן פון דעם טייך.

געבענקט אַזוי ווי נאָך אַ בלימל
דער טונקל ווייכער פרויען־לאָק;
ווי ס׳בענקט די בלויקייט פון דעם הימל
נאָך מעשיות ריטמישע פון גלאָק...
געבענקט, ווי ס׳בענקט אַ פּוסטער וויגל
נאָך וועמענס ציטערדיקן שלאָף
ווי ס׳בענקט נאָך אָפּשפּיגלונג דער שפּיגל,
ווי ס׳בענקט דער אָנהויב נאָכ׳ן סוף...

LEYB NAYDUS

IN AN ALIEN PLACE

For whole nights—(don't ask how many)
I was rich with suffering and dreams . . .
I longed for you as a sailboat longs
for the cool swell of the river.

I longed for you as a dark soft curl
of woman's hair longs for a flower,
as the blueness of the sky longs
for the rhythmic fables of bells.
Longed, as an empty cradle longs
for someone's tremulous sleep,
as the mirror longs for reflection,
as the beginning longs for the end.

אָפּט ווילט זיך לאָזן די שורות ניט געוווינגן און ניט געמאָסטן,
ניט אַריינקוועטשן דאָס האַרץ אין יאַמב און אין כאָריי,
ס׳ווילט זיך ריידן מיט אַ לשון אַן איינפאַכן און אַ פּראָסטן,
און ניט שלייפן און ניט טאָקן מיין גליק און וויי...

ס׳ווערט עפּעס ענג דער משקל, זיינע ד׳ אמות,
פריי, ניט געצוימט, זאָלן די פערזן גיין,
קלאָרע און האַרציקע, ווי אַ בליק דער מאַמעס,
אומגעצווונגען־ווילדע, ווי דאָס לעבן אַליין.

ס׳וואַרפט־אַראָפּ די מוזע די עלעגאַנטע שיכלעך, וואָס דריקן,
און, דערשפּירנדיק דעם נייעם אומדערוואַרטעטן געפיל,
לויפט זי באָרוועס, פריי, מיט אַ ווילדן אַנטציקן,
און זינגט זיך אינטימע נגונים, ווי זי אַליין וויל...

I OFTEN WANT TO LET MY LINES GO

I often want to let my lines go without beat, without measure,
without squeezing my heart into iamb or trochee,
I want to speak in a language that's simple, direct,
and not file down my joy and my pain.

And the meter's so tight, it's four ells long,
let my lines go free, let out the reins,
clear and candid as a mother's look,
unrestrained, wild as life itself.

The muse kicks off her dainty cramped shoes,
surprised by the new unexpected feeling,
she runs barefoot, free, with a wild delight,
and sings when she chooses, her own melodies.

מלך ראַוויטש

צוועלף שורות וועגן סנה

איז וואָזשע וועט זיין דער סוף מיט אונז ביידן — גאָט?
וועסטו מיך טאַקע לאָזן שטאַרבן אָט אַזוי
און טאַקע מיר נישט אויסזאָגן דעם גרויסן סוד?

מוז איך טאַקע ווערן פריער שטויב, וואָס איז גרוי, אַש, וואָס איז
שוואַרץ?
און דער גרויסער סוד, וואָס איז נענטער ווי מיין העמד, ווי מיין הויט,
וועט אַלץ בלייבן סוד, כאָטש ר׳איז טיפער אין מיר ווי דאָס סאַמע
האַרץ?

האָב איך טאַקע אומזיסט אין די טעג געהאָפט, אין די נעכט
געוואַרט?
און דו וועסט ביז דער לעצטער רגע בלייבן געטלעך־גרויזאַם און
האַרט?
דיין פּנים טויב ווי שטומער שטיין, ווי קיזל־שטיין
בלינד־איינגעשפּאַרט?

נישט אומזיסט איז איינער פון די טויזנט נעמען דיינע — דאָרן,
דאָרן דו פון מיין גייסט און פלייש און ביין,
שטעכנדיק — נישט אויסצורייסן, ברענענדיק — נישט אויסצולעשן,
א רגע נישט פאַרגעסן — אַן אייביקייט נישט צו פאַרשטיין.

MELECH RAVITCH

TWELVE LINES ABOUT THE BURNING BUSH

What's going to be the end for both of us—God?
Are you really going to let me die like this
and really not tell me the big secret?

Must I really become dust, gray dust, and ash, black ash,
while the secret, which is closer than my shirt, than my skin,
still remains secret, though it's deeper in me than my own heart?

And was it really in vain that I hoped by day and waited by night?
And will you, until the very last moment, remain godlike-cruel and hard?
Your face deaf like dumb stone, like cement, blind-stubborn?

Not for nothing is one of your thousand names—thorn, you thorn in my spirit and flesh and bone,
piercing me—I can't tear you out; burning me—I can't stamp you out,
moment I can't forget, eternity I can't comprehend.

אַ ליד — שלעכט אָדער גוט — אַ זאַך — מיט איין אַטריבוט פלאַך

(אַ ליד פאַר מענטשן פון לידער־פאַך —
און אויך זיי וועלן נישט אַלע פאַרשטיין!)

וואָס איז דען אַ ליד? אַ פלאַך שטיק פּאַפּיר
באַפּינטלט מיט אותיות אָן אַ שיעור,
און אָפּט נעמט מען אַזעלכענע לידער אַ סך
און מען בינדט זיי אין אַ בוך — און אַ בוך איז אויך פלאַך.

און דאָס לעבן, וואָס ליד באַזינגט, איז בולט און האָט פאָרמען אָן אַ שיעור.
האָט קלאַנג און באַוועגונג, און עס איז אין דיר און עס איז אויסער דיר,
אַמאָל קאָנקלאַוו ווי אַ טיפער טאָל און אַמאָל קאָנוועקס ווי אַ פעלזן־שפּיץ,
און עס שטראָמט ווי ניאַגאַראַ, און עס קלינגט ווי דונער, און עס שפּריצט מיט ליכט ווי בליץ.

און דאָך איז די וועלט — אויף איר אַ שוואַרץ יאָר,
אַזוי שוין געמאַכט, אַז פאַרגעננגלעך און נאָכאַמאָל פאַרגעננגלעך איז די לעבעדיקע וואָר,
און אַ ליד — בלויז אַ שטיקל פּאַפּיר, אַזוי ביינערלאָז ווייך און דערצו אַזוי פלאַך,
איז דווקא אַן אייביקע און אַ דויערנדיקע זאַך.

און אַלץ, וואָס איז בולט, האָט באַוועגונג אין זיך און אַרום זיך פיזיק,
קען נאָר דעמאָלט ווערן אייביק, ווען עס ווערט אויף אַ שטיק פון אַ פלאַך־ווייך פּאַפּיר „פאַראייביקט" אין אַ ליד — —
איז עס נישט צו פלאַצן? — — און די בולטקייט, אַרום וועלכער דו האָסט דיין לעבן אָפּגעמיט.

A POEM—GOOD OR BAD—A THING— WITH ONE ATTRIBUTE—FLAT

(Poem for people in the poetry-business—
and not even all of them will understand)

What's a poem? A flat piece of paper,
dotted with endless letters,
and you often take many such poems
and bind them into a book—and a book's flat too.

And the life the poem sings about projects and has endless
    forms,
has sound and motion, and is in you and outside you,
sometimes concave like a deep valley, sometimes convex like a
    mountain peak,
and it streams like Niagara, roars like thunder, flashes like
    lightning.

Yet the world—a plague on it—
is made in such a way that the living truth fades away, fades
    away,
but a poem—simply a piece of paper, boneless, soft, and flat
    besides,
is indeed an eternal and lasting thing.

And everything that projects, moves within itself and around
    its shape
can become eternal only when it's "eternalized"
into a poem on a piece of soft flat paper—
doesn't that make you burst?—and this projection around
    which you led your life

ווערט אויסגעגלייכט, אויסגעוווייכט, אויסגעפּלאַכט אויף פּאַפּיר — —
און ערשט דעמאָלט קען עס שוין לעבן יאָרן אָן א שיעור.
משמעות, אַז גאָט־וועלט־מענטש, אָט אַ די אָ דריי־אייניקע זאַך
האָט ליב אין דער פלאַך צו פאַרגיין. און וואָס קען שוין זיין פלאַכער,
ווי א ליד איז פלאַך.

becomes straightened out, softened out, flattened out on paper—
and only then can it live endless years.
It seems that god-world-man, this three-in-one thing
likes to pass into flatness. And what can be flatter than a flat
  poem?

אַברהם סוצקעווער

אויף מיין וואַנדערפּייפל

אַ באָרוועסער וואַנדראָווניק אויף אַ שטיין
אין אָוונטגאָלד,
וואַרפט פון זיך אַראָפּ דעם שטויב פון וועלט.
פון וואַלד אַרויס
דערלאַנגט אַ פלי אַ פויגל
און טוט אַ כאַפּ דאָס לעצטע שטיקל זון.

אַ ווערבע פּאַזע טייך איז אויך פאַראַן.

אַ וועג.
אַ פעלד.
אַ צאַפּלדיקע לאָנקע.
געהיימע טריט
פון הונגעריקע וואָלקנס.
וואו זענען די הענט, וואָס שאַפן וואונדער?

אַ לעבעדיקע פידל איז אויך פאַראַן.

איז וואָס־זשע בלייבט צו טאָן אין אָט דער שעה,
אָ, וועלט מיינע אין טויזנט פאַרבן! —
סיידן,
צונויפקלייבן אין טאָרבע פונעם ווינט
די רויטע שיינקייט
און ברענגען עס אַהיים אויף אָוונטברויט.

און עלנט ווי אַ באַרג איז אויך פאַראַן.

ABRAHAM SUTSKEVER

ON MY WANDERING FLUTE

A barefoot tramp on a stone
in evening-gold
brushes the dust of the world away.
A bird in flight
darts out of the wood
and grabs the last tatter of sun.

And there's a willow near a pond.

A path.
A field.
A trembling meadow.
Hidden footprints
of hungry clouds.
Where are the hands that make miracles?

And there's a fiddle that's alive.

What can I do in such an hour,
O my thousand-colored world—
except
gather this red beauty
into the wind's purse
and bring it home for supper.

And there's desolation like a mountain.

טאַנצליד

איך בעט דיך, קינד, צום טאַנץ. דו גייסט. און מיט מײַן בלאָנדן קאָפּ
פֿאַרנייג איך זיך אין טיפֿן זשעסט ביז צו דער ערד אַראָפּ.
און אָט אַזוי ווי כ׳קוק דיך אָן מיט אויסטערלישן גלי:
דײַן בייגעוודיקע זאַנגיקייט, דײַן אָרעם, דײַנע קני,
די זיגנעוודיקע ליניעס דורך דײַן הימלבלאָען קלייד
און מערער נאָך: די אויגן דײַנע — סאַמעטענע פֿרייד, —
פֿאַרגעס איך ווו איך בין. איך ווער אַ פֿרילינגדיקער שטראָם
און זינג צו דיר אַרויס מײַן האַרץ דורך איטלעכן אַטאָם
פֿון בלוט מײַנעם. דערנאָך, דערנאָך — און דאָס איז אַזוי עכט —
פֿאַרפֿלעכטן זיך די הענט בײַ אונדז אוןביידע
זענען מיר אין אונדזער טאַנץ גערעכט.

און מיט אַ מאָל מיר גיבן זיך אַ שטורעמדיקן טראָג
דורך גרויסע וועלדער טונקעלע — אַריבער נאַכט און טאָג,
אַריבער צײַט. די וועלט באַהאַלט זיך אין אַ ווינקל ווו.
איך ווייס ניט ווער איך בין. מיר דאַכט: בין אָונטגאָלד, בין דו,
צי גאָר אַ שוואַלב... עס פֿליִען נאָך געשרייען, טײַכן, שטעט
און אַלץ — אין אונדזער טאַנץ, דורך פֿאַרבן רויט און פֿיאָלעט
און גרין. דו ווײנסט. איך האָרך. דײַן אָנבליק פֿאַלט אויף מיר ווי
פֿלאַם.
מיר דאַכט, דו ביסט אַ זעגלשיפֿל ערגעץ אויף אַ ים
און איך — אַ ווינט אַ זאַלציקער, מיט דיר אין אַ געפּעכט.
דו ראַנגלסט זיך. איך פּאַטש מיט שוים. און ביידע
זענען מיר אין אונדזער טאַנץ גערעכט.

SONG FOR A DANCE

I invite you, child, to dance. You come. I bow my blond head,
bending it down to the ground.
Eager, warm, this is how I see you:
a yielding ear of wheat, your arm, your knees,
the singing outlines through your skyblue dress
and—your eyes—velvet joy,—
I forget where I am. I become a springtime stream,
singing my heart out through every atom
of my blood. And then, and then—and only this is real—
we twine our hands together and we both
are equal in our dance.

And suddenly we go a stormy journey
through big dark woods, over night and day,
over time. The world hides somewhere in a corner.
I don't know who I am. I think: I'm evening gold, I'm you,
I'm even a swallow. . . . Shouts fly by, rivers, cities,
everything—in our dance, with red and violet
and green. You cry. I listen. Your look falls on me like fire.
I think, you're a sailboat somewhere on the sea
and I a salty wind, in a duel with you.
You struggle. I spank you with foam. And we both
are equal in our dance.

1936

די ראַנדן פֿון אַ טײַך

איך זע פֿון הויכן באַרג, ווי ס'בלאַנקען
די ראַנדן פֿון אַ טײַך. ביז העט
בײַם האָריזאָנט פֿאַרטונקלען זיי און צאַנקען
און לײַכטן זילבערגרין און פֿיאָלעט
אויף ס'נײַ — און טונקלען ווידער. כ'קוק אַרונטער
אין טײַך, וואָס לעשט מײַן פּנימס צונטער
און לײַטערט מיר מײַן גוף, מאַכט קלאָר אים,
און זאָג צו מיזרח, מערבֿ, צפֿון, דרום:

— פֿאַרנעמט און זעט,
ווי אונטן, צווישן בלעטערוואַרג און שטיבער,
איז אָנגעשריבן מיט אַ קאַלטער טײַכנשריפֿט מײַן נאָמען.

דערציילט פֿון אים דער גאָרער וועלט דעריבער.
אָמן.

THE BANKS OF A RIVER

From a high mountain I see how the banks of a river
shimmer. In the distance
near the horizon they darken and wrangle,
then light up silvergreen and violet,
then darken again. I look down
into the river where my face's tinder is quenched
and my body shines clear, transparent,
and I say to the east, west, north, south:

Look and see
how beneath choked leaves and houses
in cold riverwriting my name is written.

Broadcast it all over the world.
Amen.

1938

לאנדשאַפֿט

דער הימל — ווי דער חלום פֿון א דולן,
ניטאָ אין אים די זון. זי בליט און קוועלט
מגולגל אין א הייסן, פֿולן
און ווילדן רויזנביימל אויפֿן פֿעלד.
דער ווינט איז א מכשף. ער פֿארקנעפּלט
דעם טאָג מיט נאַכט.
א וואָרצל צו א וואָרצל עפּעס פּרעפּלט.
א וואָלקן לאַכט
פֿון שלאָף. עס ווינקט פֿון וואלד א בליציק אייגל.
ווי פֿאלנדיקע שטערן פֿליִען פֿייגל.

LANDSCAPE

The sky—like a lunatic's dream—
has no sun in it. It blooms and laughs in a
hot full wild
rosetree in the meadow.
The wind is a magician. It buttons
       day to night.
A root babbles something to a root.
       A cloud laughs
         in its sleep. A lightning eye blinks from the wood.
         Birds fly by like falling stars.

1938

לידער צו אַ לונאַטיקערין

א

איך קען דיך פֿון לאַנג שוין, פֿון זינט
ביסט געווען אַן אַמפֿיביע.
געדענק נאָך די ערשטקייט פֿון זינד:
האָסט מיך ליב? — איך האָב ליב, יע.

מיר האָבן זיך ביידע געפּאָרט
אונטער זילבערנע שלאַקסן.
און אונדזער פֿאַרליבטשאַפֿט איז דאָרט
ווי אויף הייוון געוואַקסן.

ב

מיט אַ זילבערנעם בעזעם
קערסטו אויס פֿון מײַן חלום די שטויבן.
ווערט דאָס צימערל ריין. דורך די שויבן
גריסט אַ צווײַגעלע בעז אים.

און דײַן האַנט, וואָס דו שטרעקסט מיך צו זאַלבן,
פּרעסט די קנייטשעלעך אויס אויף מײַן שטערן,
ווי דײַן נאַכטהעמד אין פֿאַלבן
וואָס פֿאַרקנעפּלט דײַן ברוסט אויף אַ שטערן.

ג

איך וויל בלויז באַרירן דײַן סוד ווי אַ זעגל,
געבויגן פֿון שטורעם, באַרירט דאָס געאינד —
אַ סוד, וואָס צו אים איז פֿאַרזיגלט דאָס שטעגל
מיט טריוואַקס פֿון זינד.

אַהין איז מײַן גלוסט. איך מוז געבן אַן עפֿן
דערזען דעם פּייזאַזש וואָס דערשרעקט און באַרוט.
דײַן סוד, ווי דער טאַנגײַסט אין פֿידלשע עפֿן
מוז ווערן באַפֿאָכט פֿון מײַן פֿליגלדיק בלוט.

SONGS TO A LADY MOONWALKER

1

I've known you since the time
    you were amphibian.
I remember our sin's firstness.
    you love me?—I love you, yes.

We paired ourselves together
    under silver weather.
Our love increased
    as though it rose from yeast.

2

With a silver broom
you sweep the dust from my dreams,
cleaning the little room. Through the pane
a twig of lilac gleams.

You stretch your hand to salve
and smooth my forehead clear
as your nightgown flutters in folds
and buttons your breast to a star.

3

Stormbent I'll brush your secret
as a sail brushes to a wave—
but your secret is tight with guilt,
the sealing wax of love.

My lust is: I must unveil
that landscape of terror and good.
Your secret that sings like a fiddle
must yield to my winging blood.

ד

ווער איז ער, דער דריטער, וואָס באַלד
ווי כ׳צערטל דיך מאַכט ער אַ יוואַלד?
ס׳איז דאָך ער — דײַן געליבטער ל ע וו אָ נ י ק,
וואָס רעגירט אויף אַ זילבערן טראָניק
אויף טונקלסטן צווײַגל פֿון וואַלד.

מיר קענען ניט זײַן זאַלבע דריט
ווען קוועקזילבער קילט דאָס געבליט.
ס׳גיט מײַן לײַב זיך פֿון קינאה אַ צאַפּל
ווען לעוואָניק זופּט אוים דײַן שוואַרצאַפּל
און באַקושט דיר מיט פּערל די טריט.

קלײַב איינעם פֿוןביידן אוים, קלײַב.
דעם צווייטן שלימזל פֿאַרטרײַב.
אָדער מאַך פֿון אַ מילב אים נאָך מילבער,
און פּאַרברען אים אין שײַטער פֿון זילבער,
דו פֿויגל, דו חלום, דו ווײַב!

4

Who is he, that third one, as soon
as I fondle you, dares to protest?
It's your crazy love in the moon
who rules from a silver throne
on the blackest twig in the forest.

There can't be three of us
when quicksilver fills us with chills.
My envious skin will ripple
when that moonnik sucks out your pupil
and kisses your footsteps with pearls.

Choose, for choose you must.
Get rid of that bane of my life.
Nothing him less than dust,
let him burn in a silver log,
you bird, you dream, you wife.

ווי אזוי?

ווי אזוי און מיט וואָס וועסטו פּילן
דיין בעכער אין טאָג פון באַפרייאונג?
ביסטו גרייט אין דיין פרייד צו דערפילן
דיין פאַרגאַנגענהייטס פינצטערע שרייאונג
וואו עס גליווערן שאַרבנס פון טעג
אין א תהום אָן א גרונט, אָן א דעק?

דו וועסט זוכן א שליסל צו פּאַסן
פאַר דיינע פאַרהאַקטע שלעסער.
ווי ברויט וועסטו בייסן די גאַסן
און טראַכטן: דער פריער איז בעסער.
און די צייט וועט דיך עקבערן שטיל
ווי אין פּויסט א געפאַנגענע גריל.

און ס'וועט זיין דיין זכרון געגליכן
צו אַן אַלטער פאַרשאָטענער שטאָט.
און דיין דרויסיקער בליק וועט דאָרט קריכן
ווי א קראָט, ווי א קראָט — — — — — — —

HOW

How and with what will you fill
your cup on the day of freedom?
In your joy are you willing to feel
yesterday's dark screaming,
where skulls of days congeal
in a pit with no bottom, no floor?

You will look for a key to fit
the lock shivered in the door.
You will bite the streets like bread
and think: it was better before.
And time will gnaw you mute
like a grasshopper caught in a fist.

They'll compare your memory
to an ancient buried town.
And your alien eyes will tunnel down
like a mole, like a mole . . .

Vilna Ghetto, February 14, 1943

לויבליד פֿאַר אַן אָקס

קומט באַוווּנדערן מײַן אָקס.
ניטאָ צו אים קיין גלײַכן.
זײַן טאַטע איז געווען די זון,
זײַן מאַמע — די לבֿנה.

ווײַסער פֿון די שפּריצן מילך די ערשטע
בײַ אַ פֿרוי,
ווען זי גיט צו זייגן, איז די ווײַסקייט פֿון זײַן שטערן.

אין זײַנע אויגן קאָן מען זען די צוקונפֿט.
נאָר איר זאָלט
בעסער זיי ניט עפֿענען
אין רגעס ווען זיי דרימלען.

די הערנער זענען מאַסטן פֿון אַ שיף,
אַזאַ וואָס פֿירט אין בויך אַפֿולע אוצרות.

מיידלעך ווערן אַנדערש אינעם שימער פֿון זײַן פּראַכט.
אין זייער בלוט —
אַ וואַרעמקייט פֿון אומבאַקאַנטע מײַלער.

קומט באַוווּנדערן מײַן אָקס.
ניטאָ צו אים קיין גלײַכן.

ווּ ער באָדט זיך — ווערן זיס די טײַכן.

SONG OF PRAISE FOR AN OX
(from the African Cycle)

Come marvel at my ox.
He has no equal.
His father was the sun,
his mother—the moon.

Whiter than the first spurts of milk
from a woman
giving suck, so is the whiteness of his brow.

In his eyes you can see the future,
but don't pry them open
if they're drowsy at the moment.

His horns are the masts of a ship
carrying great treasure in its belly.

Girls are transformed in the shimmer of his splendor.
They feel in their blood
the warmth of unknown mouths.

Come marvel at my ox.
He has no equal.

Wherever he bathes—the rivers become sweet.

1950

פּאָעזיע

א טונקל פּיאָלעטע פּלוים
די לעצטע אויפֿן בוים,
דין־הײַטלדיק און צאַרט ווי א שוואַרצאַפּל,
וואָס האָט בײַ נאַכט אין טוי געלאָשן
ליבע, זעונג, צאַפּל,
און מיטן מאָרגן־שטערן איז דער טוי
געוואָרן גרינגער —
דאָס איז פּאָעזיע. ריר זי אָן אזוי
מען זאָל ניט זען קיין סימן פֿון די פֿינגער.

POETRY

The last dark violet
plum on the tree,
delicate and tender as the pupil of an eye,
blots out in the dewy night
all love, visions, trembling,
and at the morningstar the dew
becomes airier—
that's poetry. Touch it without
letting it show the print of your fingers.

1954

אונטער דער ערד

צוויטשערן פֿייגל דען אונטער דער ערד
מיט געטלעכע טרערן
פֿארשטיקטע אין העלדזעלעך דינע,
אָדער דאָס פֿלאטערן אונטער דער ערד
איינמאָליקע ווערטער, ווי ניט קיין געזעענע פֿייגל?

וווּהין מײַנע פֿיס האָבן שׂכל צו שפּאנען,
איבער שניי, איבער היי, איבער שיכּורן פֿײַער,
פֿילן זיי ווערטער,
נשמות פֿון ווערטער,
א שאָד וואָס די פֿיס מײַנע קאָנען ניט האלטן קיין בלײַער...

ווי א שלאנגען־באשווערער
פֿארהאלט איך די פֿיס אינעם גאנג:
דאָ און דאָ און דאָ.
דאָ זענען זיי דאָ.
איינמאָליקע שטילקייט.
איינמאָליקע ערטער.
און איך גראָב מיט די הענט — מײַנע בייניקע רידלען,
ביז וואנען עס פֿלאצן
די שווארצע פּאלאצן
ווּו ס'פֿלאטערן ווערטער
באהאלטן אין פֿידלען.

UNDER THE EARTH

Are there birds twittering under the earth,
choking back
their holy tears in their thin necks,
or is that throbbing under the earth
once-used words that seem invisible birds?

Wherever my feet have the wisdom to walk,
over snow, over hay, over drunken fire,
they feel words,
the souls of words,
it's a pity my feet can't hold a pencil . . .

Like a snakecharmer
I stop my feet in their going:
here and here and here
here they are, here.
Once-used silence.
Once-used places.
And I dig with my hands—bony spades,
down to where the black
palaces burst,
where words throb
hidden in violins.

1956

אהרן צייטלין

חלום וועגן אַן אַלטן הומאָריסט

לעצטע נאַכט האָב איך געהאַט אַ חלום,
איז נאָכגעגאַנגען מיר זיין פּאַראַדאָקס
ביז טיף אין טאָג אַריין: עס איז אַ פרוי געגאַנגען
שפּאַצירן מיט אַן אָקס.

דער אָקס — האָב איך געוואוסט — איז מיינער אַ באַקאַנטער,
אַ ייד אַ הומאָריסט. ער איז אויף צרות,
אַן עובר־בטל, טויב און בלינדעוואַטע,
מיט אַ פּנים פון אַן אַלטן סריס.
פון זיינע וויצן לאַכט מען נישט. ער שמעקט מיט קבר.

איצט איז ער, דער אָקס דער גרויסער, רויטער, פעטער,
געגאַנגען שטאָלץ — און ס'האָט די פרוי באַגלייט אים
מיט אַ מינע אַ קאָקעטער,
ביז ער האָט געלאָזט זי הינטער זיך
און האָט מיט גבורה
אַוועקגעשפּאַנט אַנטקעגן עפּעס
אַ שור־המועד'יקער אַוואַנטורע.
פריילעך און פרעך האָט ער געשפּאַנט,
נאָר איך האָב גוט געוואוסט, אַז דאָס איז ע ר —
דער אויסגעדינטער הומאָריסט, דער עקס־טאַלאַנט,
וואָס איז אַלט און אומעטיק־צעקנוידערט,
און פון דעם נייעם וויץ זיינעם האָט מיר אין שלאָף
געשווידערט.

AARON ZEITLIN

A DREAM ABOUT AN AGED HUMORIST

Last night I had a dream
whose paradox followed me
late into the day: a woman was
walking with an ox.

The ox—as I knew—is an acquaintance of mine,
a Jew, a humorist. He's in trouble,
senile, deaf, and half-blind,
with the face of an old eunuch.
They don't laugh at his jokes. He smells of the grave.

Now he, that big ox, red, fat,
was walking proudly—and the woman with him
had the look of a flirt,
until he left her behind
and violently
rushed off to meet some kind of
bullish adventure.
He strutted about joyful and fresh
but I knew perfectly well it was he—
the worndown humorist, the ex-talent,
old and sadly wrinkled all over,
and when I thought of his new joke in my sleep,
I shuddered.

אַ לײדיקע דירה

ס׳האָט מיך געצויגן זען אַ דירה,
וואו כ׳האָב אַמאָל געוואוינט.
זי איז געשטאַנען לײדיק
און ס׳האָט זיך איר געחלומט אַ פאַרשוין,
וואָס האָט אַמאָל דאָרט געפאַרשוינט —
איך.

שורות,
וואָס כ׳האָב דאָרט געשריבן.
האָבן זיך געקליבן
אַרום די פענצטער
קופּעסווײז, ווי פײגל פאַרן אָפּפלי.

ס׳איז געקראָכן
און שטיל געזאָטן
אַן אַסטראַל־גוף פון אַן אינזעקט,
וואָס כ׳האָב אַמאָל צעטראָטן.

קוימקוימיקײטן כלערלײ
האָבן געשטעקט
אין די ווינקלען, אין שאָטן,
ווי שטויב אונטער אַ באַרשט,
מיט מײזישער שרעק
געזוכט אַ שפּאַלט צום אַנטרינען.

אַ שרעטל,
וואָס איז געלעגן נאַקעט בײ אַ וואַנט,
איז אויף מיר אַרויפגעשפּרונגען:
טאַטע, וואָס מאַכסטו?

THE EMPTY APARTMENT

I was drawn to look at an apartment
where I once lived.
It stood empty,
dreaming of a person
who once personned there—
me.

Lines
I wrote there
gathered themselves
around the windows
in flocks, like birds before flight.

Crawling
and quietly seething
was the astral body of an insect
I once squashed.

All kinds of almost nothings
were stuck
in the corners, in the shadows,
like dust under a brush,
looking with mousey fright
for a crack to escape into.

A very small imp
who lay naked under a wall,
jumped up at me:
Papa, how are you?

אין מיטן צימער איז געשטאַנען אַ מחשבה.
זי איז געשטאַנען אַ פֿאַרלוירענע, געטראַכט
פֿון יענעם, וואָס האָט אַמאָל זי געטראַכט
אָט־דאָ אין אַ פֿאַרנאַכט:
פֿון מיר.

אַז זי האָט מיך דערזען,
האָט זי זיך אַ ריס געטאָן פֿון אָרט
און מיך גענומען זידלען.
דו ביסט, — האָט זי געזאָגט, — אַ פֿינצטערער פֿאַררעטער,
אַן אַנטלויפֿער, אַ פֿאַרשווינדער,
אַ געבוירער,
וואָס לאָזט אויף הפקר זיינע קינדער.

In the middle of the room stood a thought.
She stood there lost in thought
about the one who once thought about her
here one evening:
about me.

And when she noticed me,
she tore herself from the spot
and began to revile me.
You are, she said, a dark betrayer,
a runner-away, a disappearer,
a begetter
who abandons his offspring.

טעקסט

מיר אַלע —
שטיינער, מענטשן, שערבלעך גלאָז אין זון,
קאָנסערוון־פּושקעס, קעץ און ביימער —
זענען אילוסטראַציעס צו אַ טעקסט.

ערגעץ־וואו דאַרף מען אונדז נישט האָבן.
דאָרט לייענט מען דעם טעקסט אַליין —
די בילדער פאַלן אָפּ ווי טויטע גלידער.

ווען טויט־ווינט גיט אַ בלאָז אין טיפן גראָז
און רוימט־אַראָפּ פון מערב אַלע בילדער,
וואָס וואָלקנס האָבן אויפגעשטעלט —
קומט נאַכט און לייענט שטערן.

TEXT

We all—
stones, people, little shards of glass in the sun,
tin cans, cats and trees—
are illustrations to a text.

In some places they don't need us.
In some places they only read the text—
the pictures fall off like shriveled parts.

When a death-wind blows in the deep grass
and clears off from the west all the pictures
that the clouds set up—then
night comes and reads the stars.

TEXTS USED

Jacob Glatstein
The Joy of the Yiddish Word, Marstin Press, New York, 1961
From My Entire People, Marstin Press, New York, 1965

Chaim Grade
The Man of Fire, Cyco, New York, 1962

M. L. Halpern
In New York, Farlag Matones, New York, 1954

Rachel Korn
Home and Homelessness, Julio Kaufman, Buenos Aires, 1948
Kismet, Julio Kaufman, Buenos Aires, 1949

Moyshe Kulbak
Selected Works, Congress for Jewish Culture, New York, 1953

Zisha Landau
Poems, New York, 1937

H. Leivick
Songs to Eternity, Marstin Press, New York, 1959
Collected Works, Buenos Aires, 1963

Itzik Manger
Songs and Ballads, New York, 1952

Anna Margolin
Poems, New York, 1929

Kadya Molodovsky
Only King David Remained, New York, 1946

Leyb Naydus

Lyrica, Warsaw, 1926

Melech Ravitch

Lyric, Satiric, National, Social, and Philosophical Poems, Farlag
  David Lerman, Buenos Aires, 1946
Songs from My Songs, M. Ravitch Book Committee, Montreal,
  1954

Abraham Sutskever

Collected Works, Tel Aviv, 1963

Aaron Zeitlin

Collected Poems, Farlag Matones, New York, 1957

NOTES ON THE POETS

JACOB GLATSTEIN was born in Lublin in 1896. When he came to the United States in 1914 he was already a poet, although he didn't begin to write in Yiddish until 1919. One of the founders of the Insichists, he was also an outstanding journalist, novelist, and critic. He died in New York in 1971.

CHAIM GRADE, born in Vilna in 1910, was educated in the traditional Yeshiva and became a leader in the group of "Young Vilna" poets. He published his first poems in 1934. In 1941 he escaped to the USSR, and in 1948 he came to live in the United States. An outstanding novelist as well as poet, he now lives in New York.

MOYSHE LEYB HALPERN was born in East Galicia in 1886. At the age of twelve he went to Vienna, where he wrote his first poetry in German. In 1908 he came to the United States to escape military service. He was a member of "Di Yunge" group of Yiddish poets in New York, as well as a journalist and artist. He died in 1933 in New York.

RACHEL KORN was born in Galicia in 1898. Her first literary efforts were written in Polish. It was not until 1919 that she began to write and publish in Yiddish. When the Nazis invaded Poland, she escaped to Sweden and then to Russia. Since the liberation by the Allies she has been living in Montreal and Florida.

MOYSHE KULBAK, born in Smorgon in 1896 of peasant parents, first wrote poems in Hebrew. He went to Germany with a troupe of Vilna performers, then returned to teach Yiddish literature in high school in Vilna. In 1928 he went to Soviet Russia where he wrote plays for the Yiddish State Theater. He was warned by the Moscow police for writing a controversial play, was then arrested, and disappeared mysteriously in 1937. He was reported to have died in 1940.

ZISHA LANDAU, born in Poland in 1889, arrived in the United States in 1906. He translated Russian and German poetry into Yiddish, and was particularly fond of Heine, to whom his Hebrew teacher had introduced him. An early member of "Di Yunge," he died in New York in 1937.

H. LEIVICK, whose real name was Leivick Halpern, was born in Russia in 1888. He was arrested for political activity and sent to Siberia in 1912. Through the intervention of friends in the United States, he escaped to New York in 1913. He wrote many plays and is especially known for his great verse drama, *The Golem*. He died in New York in 1962.

ITZIK MANGER, born in Romania in 1901, spent his childhood in Germany. Greatly influenced by the German lyric poets, especially Rilke, and by old Yiddish ballads, many of his poems have come into the repertory of Yiddish folksongs. He lived in London after the Second World War, and came to New York in 1951. He died in Israel in 1969.

ANNA MARGOLIN was born in 1887 in Brest-Litovsk, Russia. She came to the United States, married the Hebrew novelist Moses Stavsky, and went to live in then Palestine for a few years. She died in New York in 1952.

KADYA MOLODOVSKY was born in Lithuania in 1894. She wrote many poems, novels, short stories, and plays about Jewish life in Poland. She is known particularly for her children's poetry and stories. In Warsaw, where she taught school and published poetry, she was persecuted by the Fascist police for her socialist activities. She came to New York in 1935, where she died in 1975.

LEYB NAYDUS was born in 1890 in Grodne, Polish Lithuania, of a well-to-do father who wrote poetry in Hebrew. He went to school in Bialystok, where he was thrown out for socialist activities, then attended a Vilna gymnasium. He wrote his first poetry in Russian, then turned to Yiddish in 1907. He contributed to Yiddish literary magazines and wrote translations of Russian and French poetry. He died in Vilna in 1918.

MELECH RAVITCH. whose real name is Zachariah Berger, was born in 1893 in Eastern Galicia. He traveled extensively, lived for a while in Australia, and then went to live in Montreal, Canada, where he died in 1976.

ABRAHAM SUTSKEVER. born in 1913 in Smorgon, escaped with his family to Siberia when Smorgon was burned by the Cossacks. In 1922 he came to Vilna and joined the "Young Vilna" group of poets. He fought in the Vilna Ghetto in the Second World War, saved the archives from the Jewish Museum, of which he was curator, escaped to the woods, where he fought with the Partisans, and later joined the Russian army. He settled in Israel after the Liberation, where he now publishes a Yiddish literary journal, *Di Goldene Keyt*.

AARON ZEITLIN. born in 1889 in Uwaroviche, White Russia, moved to Warsaw in 1907. He visited Palestine and the United States in 1920, then settled in New York before the Second World War. His father, a writer and scholar, was killed in the Warsaw Ghetto. He published poetry and articles in both Yiddish and Hebrew. He died in New York in 1973.